LES INVENTEURS
DE MALADIES

P. 255

Questions importantes

DU MÊME AUTEUR

Les Inventeurs de maladies, Actes Sud, 2005.
Ces traitements dont il faut se méfier, Actes Sud, 2007.

Titre original :
Die Krankheitserfinder
Editeur original :
© S. Fischer Verlag GmbH, Francfort-sur-le-Main, 2003

JÖRG BLECH

LES INVENTEURS
DE MALADIES

Manœuvres et manipulations
de l'industrie pharmaceutique

traduit de l'allemand
par Isabelle Liber

Postface de Martin Winckler

Pour Anke,
avec tout mon amour et mes remerciements.

SOMMAIRE

Introduction 11

    I. Soigner à tout prix 15
    II. Contes et légendes de la médecine moderne 38
    III. La maladie du diagnostic 64
    IV. La foire aux risques 85
    V. Où la folie devient normalité 106
    VI. Psychotropes et cours de récré 119
    VII. Le syndrome "femme" 144
VIII. Les nouvelles souffrances des vieux messieurs... 172
    IX. Quand il vous plaira 194
    X. On n'échappe pas à ses gènes ! 212
    XI. En pleine forme, et fier de l'être ! 233

Douze questions pour identifier les maladies
    inventées et les traitements incertains 255

Six milliards de malades qui s'ignorent,
    par Martin Winckler 257

Notes 267

INTRODUCTION

Voltaire prétendait que l'art de la médecine consistait à amuser le patient tandis que la nature le guérissait. Aujourd'hui, l'aphorisme du philosophe français est transformé en son contraire : la médecine moderne veut convaincre l'homme de ce que la nature l'accable sans cesse de nouvelles maladies, que seuls les médecins sont en mesure de guérir. Chaque culture et chaque peuple produisant ses propres maux, la maladie était encore il y a peu considérée comme un phénomène social. Il m'importe ici de montrer le changement qui s'est opéré dans les pays industrialisés : l'élaboration et la commercialisation de maladies sont une tendance générale. De nos jours, des maladies sont inventées par les laboratoires pharmaceutiques et les groupes d'intérêts de la sphère médicale – et la maladie devient un véritable produit industriel. Des processus normaux de l'existence sont en outre travestis en problèmes médicaux, par l'action d'entreprises et d'associations qui *médicalisent* la vie.

L'étendue et le développement de ce processus, l'ampleur de son influence sur notre société, sur notre système de santé et sur chacun d'entre nous : ces thèmes n'ont été jusqu'ici que rarement soulevés et jamais discutés. Cet ouvrage, en décrivant les règles selon lesquelles la santé est bradée et la manière dont nous pouvons nous en protéger, a pour but de remédier à cet état de fait.

Il existe deux raisons pour lesquelles les inventeurs de maladies sont jusqu'à présent passés inaperçus. Tout d'abord, les laboratoires pharmaceutiques et les médecins ne se lassent pas d'affirmer que ce sont les patients eux-mêmes qui se tournent spontanément vers eux, exigeant des traitements. Cet argument n'est qu'une excuse cousue de fil blanc. Il est évident que l'être humain aspire de manière innée à être en bonne santé. Mais les inventeurs de maladies nourrissent cette aspiration, l'ajustent à leurs besoins et l'exploitent de manière ciblée.

En agissant dans l'ombre, les inventeurs de maladies ont pu se soustraire jusqu'à présent à une description globale. Si j'ai pu mettre au jour des faits et des études difficilement accessibles, c'est grâce à dix ans d'expérience au sein de différentes rédactions médicales, où ce type d'enquêtes constitue le noyau dur de mon métier. Une grande partie des travaux de recherche et des points de vue présentés dans ce livre émanent par ailleurs des médecins eux-mêmes. Cependant, leurs études et commentaires étant dispersés dans des revues professionnelles, l'opinion publique n'a pu à ce jour en prendre réellement connaissance. En tant que scientifique et journaliste, mon but était donc de réunir les acquis relatifs à l'invention de maladies dans un ouvrage rapidement compréhensible par le plus grand nombre.

Le présent essai rend également compte d'un contre-mouvement. Une proportion élevée et, selon moi, croissante des médecins se révolte en effet contre la médicalisation de la vie, orchestrée par l'industrie et ses acolytes du corps médical. Pour eux, l'éthique médicale prime encore sur cette triste perspective qui consistera à déclarer malades des individus en bonne santé. Pour eux, la transformation sournoise des cabinets médicaux en lieux de vente est inacceptable.

A l'image de ces médecins sceptiques, je ne suis ni contre l'industrie pharmaceutique, ni contre la médecine moderne. Je me fais vacciner contre la grippe et participe au dépistage du cancer. Mais la médecine a pris aujourd'hui une telle ampleur qu'il devient difficile à l'être humain d'évaluer son propre état de santé. Tel est l'enjeu de cet ouvrage, écrit avec une seule arrière-pensée : rester en bonne santé.

I

SOIGNER A TOUT PRIX

La médecine a fait tant de progrès que plus personne n'est en bonne santé.

Au début du XXᵉ siècle, un certain Knock décidait de faire passer à ses contemporains l'habitude d'être en bonne santé. Le médecin français allait ainsi bâtir un univers dans lequel n'existaient plus que des patients, car "les gens bien portants sont des malades qui s'ignorent".

Fraîchement diplômé, le Dr Knock vient s'installer à Saint-Maurice, un bourg de montagne dont les robustes habitants ne consultent jamais. Son prédécesseur, Parpalaid, un vieux médecin de campagne ruiné, tente de le consoler en lui assurant : "Vous avez ici le meilleur type de clientèle : celle qui vous laisse indépendant." Mais l'ambitieux Knock ne compte pas se satisfaire de si peu.

Comment le nouveau venu pourrait-il cependant attirer des êtres en pleine santé dans son cabinet ? Que pourrait-il bien prescrire à ceux qui ne souffrent de rien ? Rusé, Knock passe de la pommade à l'instituteur du village et le persuade de faire devant la population des conférences sur les prétendus dangers des micro-organismes. Il engage également le

15

tambour de ville, chargé d'annoncer que le docteur convie tous les habitants à une consultation gratuite – afin d'"enrayer les progrès inquiétants des maladies de toutes sortes qui envahissent depuis quelques années nos régions si salubres autrefois". La salle d'attente se remplit.

Pendant ses consultations, Knock diagnostique d'étranges symptômes et persuade les patients novices qu'un suivi médical leur est indispensable. Nombreux sont alors ceux qui gardent le lit, ne s'alimentent plus que d'eau. Le bourg finit par ressembler à un vaste hôpital. Il y reste juste assez d'habitants en bonne santé pour soigner les malades. Le pharmacien fait fortune ; tout comme l'hôtelière, dont l'établissement, transformé en infirmerie, ne désemplit pas.

Chaque soir, Knock observe avec enthousiasme l'océan de lumières qui l'entoure : à dix heures sonnantes, les deux cent cinquante chambres de malades sont éclairées pour l'introduction – prescrite par le docteur – des deux cent cinquante thermomètres dans les cavités correspondantes. "Presque toutes les lumières sont à moi, s'enflamme Knock. Les non-malades dorment dans les ténèbres. Ils sont supprimés[*1]."

Knock ou le Triomphe de la médecine, comédie en trois actes, rencontra un succès éblouissant lors de la première à Paris, en 1923. Jusqu'en 1927, la pièce de Jules Romains fut jouée mille trois cents fois, puis adaptée plusieurs fois à l'écran. Aujourd'hui encore, elle est jouée dans les écoles. Le théâtre du Dr Knock est immortel – et le succès sur scène

* Les notes numérotées se trouvent en fin d'ouvrage, p. 267.

de ses méthodes médicales se poursuit dans la vraie vie. Telle est l'histoire que j'entreprends de raconter ici, en expliquant les rouages qui président à la métamorphose d'individus sains en patients.

Aujourd'hui, ce n'est plus un petit médecin de campagne engageant qui règne en maître sur les chambres des malades. Il existe en effet une entité autrement puissante, qui persuade déjà les êtres humains qu'ils ne sont pas en bonne santé : la médecine moderne. A l'aube de ce nouveau siècle, des associations de médecins et des laboratoires pharmaceutiques, souvent soutenus par des groupes de patients, prêchent ainsi une médecine qui ne connaîtra plus d'êtres bien portants.

Pour maintenir la croissance titanesque de ces dernières années, l'industrie de la santé doit de plus en plus souvent s'acharner médicalement sur des individus sains. De grands groupes pharmaceutiques agissant à l'échelle mondiale et des associations de médecins organisées en réseau international redéfinissent ainsi le concept de santé : les épreuves naturelles de la vie et les comportements normaux sont alors systématiquement interprétés comme étant pathologiques. Les entreprises du médicament sponsorisent l'invention de tableaux cliniques complets et conquièrent ainsi de nouveaux marchés pour leurs produits.

A Berlin, les entreprises Jenapharm et Dr Kade/ Besins tentent par exemple à l'heure actuelle de faire connaître une maladie censée toucher des millions d'hommes dans la force de l'âge : l'*aging male syndrome* – la ménopause de l'homme. Ces entreprises ont engagé des instituts de sondage, des agences de relations publiques et de publicité ainsi que des professeurs de médecine afin de rendre public le retour d'âge de l'homme. Lors de conférences de presse, on a ainsi pu déplorer la "baisse sournoise" de la production d'hormones mâles. A l'origine de cette campagne : deux préparations hormonales mises sur le marché allemand en avril 2003 (voir le chapitre VIII).

L'une des techniques des inventeurs de maladies consiste en outre à élargir le champ d'indications d'un médicament. Aux Etats-Unis, le Provigil* a par exemple été autorisé comme traitement de la narcolepsie, maladie rare entraînant des crises de sommeil brutales. Pour élargir le cercle des consommateurs de la pilule qui réveille, son fabricant, Cephalon, tente à présent de mettre au jour des tableaux cliniques adéquats. L'entreprise a financé une étude selon laquelle les comprimés anti-sommeil seraient efficaces sur les enfants agités. Elle a en outre mené des recherches sur l'état de santé d'ouvriers soumis au rythme des trois-huit – et pense déjà avoir découvert une nouvelle maladie : les "troubles du sommeil liés au travail par roulement[2]".

"Il est facile d'inventer de nouvelles maladies et de nouveaux traitements, constate le *British Medical Journal*. Nombreux sont les processus normaux de la vie – la naissance, la vieillesse, la sexualité, l'insatisfaction, la mort – qui peuvent être médicalisés[3]."

L'ampleur qu'a atteinte le diagnostic dans les pays industrialisés paraît grotesque. Selon les médecins, pas moins de trente mille épidémies, syndromes, troubles et pathologies auraient été identifiés chez l'*Homo sapiens*.

---

* Nom de marque anglo-saxon du Modafinil, commercialisé en France sous le nom de Modiodal. *(N.d.T.)*

Or, chaque maladie a son comprimé – et, de plus en plus souvent, chaque comprimé a sa maladie. En anglais, le phénomène a déjà un nom : *disease mongering* – le trafic de maladies.

Les inventeurs de maladies s'enrichissent en faisant croire à des individus sains qu'ils sont malades. Vous-même, n'êtes-vous pas parfois sujet à la fatigue, la mauvaise humeur ou la morosité ? N'y a-t-il pas de temps à autre quelque chose à redire à votre concentration ? Ou bien seriez-vous timide ?

Nul doute que vous avez déjà découvert dans les médias une large palette de maladies qui pourraient correspondre à votre cas : qu'il s'agisse d'hypertension, de phobie sociale, de décalage horaire, de cyberdépendance, de taux de cholestérol élevé, de dépression larvée, de surcharge pondérale, de ménopause, de fibromyalgie, de côlon irritable ou de dysfonction érectile, dans des campagnes médiatiques sans fin, les associations professionnelles, les groupes de patients et les laboratoires pharmaceutiques attirent l'attention du public sur des troubles prétendus sérieux et qui seraient trop rarement traités.

Le "syndrome de Sissi" fit ainsi sa première apparition en 1998 : dans une annonce partiale du laboratoire SmithKline-Beecham (devenu entre-temps Glaxo-SmithKline). Les individus touchés y étaient décrits comme dépressifs, leur état pouvant donc nécessiter un traitement par psychotropes. Ces patients dissimulaient, en outre, leur abattement pathologique en redoublant d'énergie et d'optimisme. Le nom du syndrome était ainsi inspiré de l'impératrice Elisabeth (surnommée "Sissi"), censée incarner l'archétype du patient. Depuis, le terme a conquis les médias et se propage par l'intermédiaire de quelques psychiatres : il y aurait en Allemagne trois millions d'individus atteints du syndrome de Sissi.

En mai 2003, des médecins de la clinique universitaire de Münster démontrèrent que ce prétendu problème de santé publique était une invention de l'industrie. Leur analyse de sources spécialisées a en effet montré que le tableau clinique ne pouvait être justifié scientifiquement. La présence médiatique du syndrome de Sissi, notamment dans un essai consacré à ce sujet comme par un fait exprès, serait bien plutôt due à l'action de Wedopress, une agence de relations publiques installée à Oberursel et sous contrat avec Glaxo-SmithKline. Pour "implanter une «nouvelle» dépression" dans les médias, l'agence elle-même se vante d'avoir déclenché un véritable "«feu d'artifice» pour le syndrome de Sissi[4]".

"Persuader des gens qu'ils sont atteints d'une maladie dont ils ne savaient jusque-là même pas qu'elle existait, c'est habile et bas en même temps", commente Jacques Leibowitsch, médecin à l'hôpital Raymond-Poincaré, en région parisienne[5].

Les inventeurs de maladies détiennent de fait le monopole de l'information dans le domaine de l'éducation à la santé et tirent joyeusement profit de cette situation. Un employé de l'agence de relations publiques OgilvyHealthcare, à Düsseldorf, estime que 70 à 80 % de tous les articles traitant de thèmes médicaux dans les médias sont à attribuer à une action de relations publiques ciblée. Les faiseurs d'opinion enrôlent parfois officiellement des journaux ou des chaînes de télévision comme "partenaires médiatiques" dans leurs campagnes. Mais la plupart du temps, ils agissent dans l'ombre. Le chapitre II illustre ainsi comment, par des campagnes de sensibilisation planifiées de longue main, s'infiltrent dans notre quotidien des tableaux cliniques – et, en même temps, l'angoisse d'être atteint des maux qu'ils décrivent.

"L'ensemble de la population allemande souffre d'une carence en vitamines", annonce la Société de médecine nutritive et de diététique d'Aix-la-Chapelle. Dans la région de la Ruhr, "deux tiers des plus de quarante-cinq ans sont menacés d'infarctus", rapporte le journal médical *Ärzte Zeitung*. Plus de trois millions d'Allemands souffrent du syndrome de fatigue chronique (SFC) et de rhumatismes extra-articulaires, affirme *Medical Press*, qui paraît à Düsseldorf – ajoutant timidement : "Sous toutes réserves."

Un père de famille sur cinq, d'habitude digne de confiance et patient, serait atteint du "syndrome du tigre en cage", tout récemment découvert. C'est ce qu'affirment en chœur Klaus Wahle, professeur de médecine générale à Münster, et l'agence de relations publiques Medical Consulting Group. En raison de dispositions spécifiques, jusqu'ici non identifiées, les pères "ne sont plus capables de prendre des décisions convenables et se disputent constamment avec tout un chacun. Comme un tigre enfermé dans une cage." Dans de tels cas, les psychotropes seraient en mesure d'"équilibrer à nouveau la gestion des messages chimiques" dans le cerveau du papa.

51 % de la population souffre de "reflux gastro-œsophagien portant préjudice à la qualité de vie", annonce une généraliste de Rödental, en Bavière – évoquant par là les aigreurs d'estomac. Exactement 822 595 individus atteints d'hyperhidrose auraient été recensés par la clinique privée Am Ring de Cologne : les personnes concernées transpirent

– apparemment dans une mesure telle qu'une aide médicale est nécessaire.

Personne n'a compté le nombre d'yeux globuleux, de nez crochus, d'oreilles décollées ou de culottes de cheval dans le pays, mais Norbert Schwenzer, médecin à Tübingen, semble convaincu : "Un physique désavantageux comporte une valeur pathologique." En Allemagne, les chirurgiens plasticiens réalisent chaque année de trois à cinq cent mille opérations de chirurgie esthétique – chaque fois, c'est un individu en bonne santé qui "passe sur le billard".

A Majorque, nos retraités sont bons pour le médecin de l'île : en dépit d'une situation idyllique – ou peut-être justement à cause de celle-ci –, la "dépression du paradis" leur donne bien du tracas. Eckard Neumann, psychothérapeute installé sous le soleil espagnol, prétend avoir observé cette maladie chez ses patients[6]. La *leisure sickness*, la maladie du désœuvrement, apparaît tout aussi dangereuse. Ad Vingerhoets, de l'université de Tilburg, aux Pays-Bas, estime que 3 % de la population tombe malade pour cause de temps libre. Les symptômes vont de la fatigue aux vomissements et à la dépression, en passant par des céphalées et des courbatures. Les lieux de villégiature sont à éviter, l'épidémie y étant particulièrement sévère[7].

Qui ne se laisse abattre ni par le soleil, ni par les loisirs entre néanmoins dans la compétence de la médecine. En effet, les individus d'excellente humeur sont atteints d'un "trouble généralisé de la gaieté". Ce syndrome de la joie, décrit dans le journal *Forum der Psychoanalyse*, se manifeste par des symptômes tels que l'insouciance ou la perte des réalités[8]. Et celui même qui se refuse à toute médecine reste un cas pour elle : 2 à 3 % des Allemands souffrent, selon la Société allemande de psychiatrie, de psycho-thérapie et de neurologie, d'une peur pathologique du médecin, dite "phobie du médecin et du sang".

"Rends-moi donc ma jeunesse", lit-on dans *Faust*, de Johann Wolfgang von Goethe. Aujourd'hui, un nouveau pacte avec le diable a été conclu. Une alliance entre médecins, groupes pharmaceutiques et patients nourrit l'utopie de l'être sans défauts. Des individus en bonne santé avalent des médica-ments de confort dans le but de se sentir encore mieux. Le nombre de produits pharmaceutiques de ce type a nettement augmenté ces dernières années : les produits visant à améliorer le métabolisme céré-bral (nootropes), les psychotropes, les hormones, les préparations à base de vitamine A ou encore la toxine botulique, puissant poison naturel, sont censés améliorer le bien-être des consommateurs acharnés de santé.

La santé devient ainsi un état que plus personne ne peut atteindre, mais qui, en moyenne, coûte à chaque Allemand plus de 14 % de son salaire, reversé aux caisses d'assurance maladie.

UNE INDUSTRIE PHARMACEUTIQUE FLORISSANTE

Tandis que ces coûts démesurés viennent grossir le déficit du système de santé, les affaires de l'industrie pharmaceutique sont florissantes. En 2002, année de crise pour l'ensemble de l'économie, les bénéfices des dix plus grandes entreprises pharmaceutiques connaissaient une nouvelle hausse remarquable de 13 %. Or, ce secteur nanti dépense plus d'argent pour le marketing que pour la recherche. Big Pharma emploie ainsi un tiers de ses recettes et un tiers de son personnel à l'implantation de produits pharmaceutiques sur le marché. Etape après étape, des maladies sont alors exagérées, ou même bel et bien inventées.

"Les gens du marketing n'y vont jamais de main morte. C'est un enthousiasme tout naturel", expliquait au *British Medical Journal* Fred Nadjarian, gérant de l'entreprise Roche en Australie. A la fin des années 1990, cette entreprise cherchait à commercialiser son antidépresseur Aurorix, censé agir contre la phobie sociale, une forme de timidité déclarée pathologique. Un communiqué de presse sponsorisé par Roche affirmait que plus d'un million d'Australiens souffraient de ce syndrome "destructif pour le psychisme", qu'il convenait de traiter par une thérapie comportementale et des médicaments.

Compte tenu de l'importance du marché, Nadjarian se frottait déjà les mains – et pourtant, il fut impossible à son équipe de réunir par la suite un nombre suffisant de volontaires pour les études cliniques. La phobie sociale était apparemment bien plus rare que les collaborateurs de Roche ne voulaient s'en persuader et en persuader l'opinion publique. Cet échec révèle un travers du secteur pharmaceutique, concède Nadjarian – la propension à l'hyperbole. "Si vous réunissez toutes les statistiques, explique le directeur, chacun de nous devrait souffrir d'environ vingt maladies. Beaucoup de choses sont présentées de manière exagérée[9]." Ce procédé dérange bien des médecins. Hermann Füessl, de l'hôpital régional de Haar, note ainsi avec regret que la fréquence "de certains problèmes est amenée à des proportions gigantesques grâce à des analyses douteuses d'un point de vue épidémiologique, et ce, afin de prouver à l'individu concerné qu'il est en excellente compagnie[10]".

Les médecins, et notamment les spécialistes, accèdent à un meilleur statut, gagnent en influence et voient leurs revenus augmenter. dès lors que la médecine conquiert un nouveau territoire. En Allemagne, des professeurs venant d'universités renommées acceptent tout naturellement de jouer le rôle de faiseurs d'opinion à la solde de l'industrie pharmaceutique. Ces "gueules de location" (ainsi que les appelle ironiquement la profession) empochent entre 3 000 et 4 000 euros d'honoraires pour une participation à un colloque ou une conférence de presse et font ouvertement la promotion des maladies concernées et des traitements.

"Sans maladies, les entreprises du médicament feraient faillite, déclare Carlos Sonnenschein, expert de la santé à l'université Tufts de Boston. La tragédie de la science réside en cela que les médecins sont prêts à vendre leurs expertises pour servir les intérêts de l'industrie du médicament[11]."

Pour un certain nombre de laboratoires pharmaceutiques, de fabricants de matériel médical et de groupes de médecins, la médicalisation ciblée des problèmes humains est un véritable fonds de commerce. Mais les médias profitent également de la situation, en diffusant dans des articles sans fondement l'idée que nous sommes tous malades. "Beaucoup de journalistes et de rédacteurs se répandent en formules médicales dénuées de sens, dans lesquelles ils agitent le spectre de la toute dernière épidémie mortelle tout en annonçant la venue d'un nouveau remède miracle", déplore le *British Medical Journal* dans un article de fond[12].

La plupart des données relatives à la santé publique sont recueillies pour le compte d'entreprises ou de cliniques, et transmises aux médias par des agences de relations publiques. Les données et statistiques fournies dans les communiqués de presse sont en outre presque toujours impossibles à vérifier. Dans le meilleur des cas, les données reposent sur des essais menés au hasard, puis sont appliquées à l'ensemble de la population. Bien souvent, malheureusement, le nombre de cas avancé n'est que le résultat d'estimations fantaisistes.

Lorsque Alexander Dröschel, psychologue à Saarlouis, annonce en avril 2002 à l'Agence allemande de presse qu'entre Stralsund et Constance, "un million d'enfants" souffrent d'une maladie psychiatrique, le trouble déficitaire de l'attention avec hyperactivité (TDAH), aucune méfiance ne lui est opposée. Ses déclarations sont diffusées dans toute l'Allemagne. Le psychologue ne disposait pourtant d'aucune source concrète pour ce qu'il avançait : "On trouve les chiffres les plus variés. Alors j'ai pris un chiffre intermédiaire", devait-il déclarer lors d'une enquête ultérieure. Les spéculations publiques d'Alexander Dröschel ne sont pas pour déplaire aux laboratoires pharmaceutiques qui occupent le créneau : car, déjà, ils tiennent à la disposition des enfants remuants des cachets destinés à améliorer leur comportement naturel en famille et à l'école (voir le chapitre VI). Agressifs, ils emploient tous leurs efforts pour toucher les jeunes patients. L'entreprise Novartis, dont le siège est à Nuremberg, a même publié sur le thème du TDAH un livre pour enfants dans lequel elle donne au jeune lecteur le goût du "petit cachet blanc".

Biolitec fait également partie des entreprises qui créent elles-mêmes leur marché. "Du nouveau en chirurgie esthétique – les lasers Biolitec sont utilisés avec succès dans les opérations de rajeunissement du vagin", annonçait l'entreprise d'Iéna en août 2002. Selon elle, "certaines cliniques d'Allemagne et d'Autriche seraient déjà en mesure d'améliorer notablement la forme du vagin et de restituer un aspect jeune à celui-ci, ce qui contribuerait à augmenter la sensation de plaisir des femmes traitées".

Aucune preuve ne vient bien sûr corroborer la thèse d'une prétendue augmentation des opérations de relookage du vagin. Interrogée sur les médecins qui procéderaient à l'embellissement vaginal par laser, Financial Relations AG, l'agence de relations publiques de Francfort chargée du dossier, communiqua le numéro de téléphone de deux cliniques de chirurgie esthétique, à Bad Reichenhall et à Heidelberg. Mais les recherches révélèrent qu'aucune des deux institutions n'avait jamais retouché de vagins. L'agence toutefois n'en démordit pas et finit par dénicher après plusieurs jours un chirurgien qui exerçait à Vienne, en Autriche. Selon l'agence, ce dernier, attestant une "expérience dans la correction esthétique des lèvres, confirme la tendance".

D'après la description élaborée par des pharmacologues australiens[13], le trafic de maladies, dont on a pu voir plusieurs exemples, peut être envisagé selon cinq modèles distincts.

DES PROCESSUS NORMAUX DE L'EXISTENCE
SONT PRÉSENTÉS COMME DES PROBLÈMES MÉDICAUX

Un exemple : la chute de cheveux. Lorsque l'entreprise Merck & Co. découvrit le premier traitement au monde permettant la repousse du cheveu, l'agence de relations publiques Edelman lança une campagne : les journalistes furent gavés d'études et l'on put, quelque temps plus tard, lire, entendre et voir qu'un tiers des hommes avaient à lutter contre la calvitie. On découvrait également que le phénomène générait une "panique" ainsi que des "difficultés émotionnelles" et réduisait en outre les chances d'obtenir un emploi lors d'un entretien d'embauche. Ce que l'on ne sut pas : l'étude était sponsorisée par Merck & Co., et les experts médicaux qui dictaient aux journalistes leurs articles avaient été dénichés par Edelman.

DES PROBLÈMES PERSONNELS ET SOCIAUX
SONT PRÉSENTÉS COMME DES PROBLÈMES MÉDICAUX

En neurologie, il est particulièrement facile de transformer des individus sains en malades, d'autant plus, comme le souligne avec suffisance Klaus Dörner, psychiatre à Hambourg, que "les théories selon lesquelles presque tous les êtres humains sont malades ne manquent pas[14]". Un exemple concret a d'ores et déjà été cité : ce que l'on considérait encore il y a peu comme de la timidité porte maintenant le nom de "phobie sociale" grâce à l'entreprise Roche, qui compte guérir ce trouble par un antidépresseur. Ainsi, par l'action de l'agence de publicité mandatée, des millions d'Allemands sont devenus des patients potentiels. Depuis, des congrès et des groupes d'entraide sont en outre sponsorisés. D'après un journal spécialisé en marketing, la campagne constitue un "exemple positif" de la manière dont on "forme l'opinion publique sur une maladie".

Le chapitre V montre combien il est aisé de présenter l'état psychologique d'un individu comme une maladie psychiatrique. Asmus Finzen, neurologue au centre hospitalier universitaire de Bâle, déclare : "Certains psychiatres exagèrent en effet tellement leurs diagnostics que, pour finir, nous avons tous quelque chose qui cloche." Le nombre de troubles officiellement reconnus révèle cette tendance : depuis la Seconde Guerre mondiale, le nombre de maladies mentales reconnues aux Etats-Unis est ainsi passé de 26 à 395.

DE SIMPLES RISQUES SONT PRÉSENTÉS COMME DE VÉRITABLES MALADIES

Un exemple : l'ostéoporose. Des entreprises du médicament ont financé des rencontres lors desquelles la détérioration osseuse chez la personne âgée s'est vu octroyer le statut de maladie. Les chapitres III et IV décrivent en s'appuyant sur d'autres exemples les artifices permettant d'inciter la population à se soumettre aux examens les plus divers. En abaissant les valeurs de référence pour des entités mesurables telles que la pression artérielle ou le taux de cholestérol, on augmente par exemple le cercle des malades. Avec le récent décodage du génome humain, il deviendra de plus en plus fréquent dans les années à venir de jongler avec les facteurs de risque. Le chapitre X explique pourquoi il est maintenant possible de diagnostiquer chez tout être humain l'existence de gènes "défectueux" et comment nous pouvons tous – bien qu'en bonne santé – devenir ainsi des "malades potentiels".

DES SYMPTÔMES RARES SONT PRÉSENTÉS COMME DES ÉPIDÉMIES DE GRANDE AMPLEUR

Un exemple : la "dysfonction érectile". Depuis l'introduction sur le marché de la petite pilule bleue, le Viagra, l'impuissance s'est étrangement répandue parmi la gent masculine. Une page Internet du fabricant, Pfizer, affirme ainsi : "Les troubles de l'érection constituent une pathologie répandue qui doit être prise au sérieux : environ 50 % des hommes âgés de quarante à soixante-dix ans en sont atteints – c'est-à-dire un homme sur deux[15]." Hartmut Porst, urologue à Hambourg et l'un des plus grands chercheurs sur l'impuissance, considère cette affirmation globale comme exagérée : "Ce sont des fadaises."

L'industrie pharmaceutique n'agit pas différemment en tentant de présenter aujourd'hui l'absence de désir chez la femme comme une maladie autonome et extrêmement répandue (voir le chapitre IX) : la "dysfonction sexuelle féminine" toucherait ainsi 43 % des femmes. Il ne fait aucun doute que des problèmes liés à l'absence de désir existent chez la femme, mais "leur ampleur est incroyablement exagérée, déclare à ce sujet Klaus Diedrich, professeur de gynécologie à Lübeck. Attribuer des troubles sexuels à une femme sur deux, c'est un sale tour[16]."

Un exemple : le "syndrome du côlon irritable". Le phénomène s'accompagne d'une foule de symptômes que chacun a déjà ressentis un jour ou l'autre et que beaucoup considèrent comme le tapage normal de l'intestin : douleurs, diarrhées et ballonnements. "60 à 70 % de la population présente un ou plusieurs symptômes figurant au catalogue des critères de diagnostic, si bien que l'on pourrait presque considérer comme anormale l'absence totale de maux dans ce domaine", estime le médecin Hermann Füessl[17]. Les douleurs diffuses, apparaissant principalement chez la femme, étaient jusqu'ici comptées au nombre des maladies psychosomatiques. Ce n'est qu'avec le développement d'un médicament approprié que naquit l'intérêt de l'industrie pour cette prétendue maladie. Le public apprend rarement ce qui se déroule alors dans l'univers hermétique du médicament. Raison de plus pour se pencher sur un document confidentiel publié en avril 2002 par le *British Medical Journal*[18], un projet de stratégie émanant de l'agence de relations publiques In Vivo Communications[19].

Un "programme d'éducation médicale" réparti sur une durée de trois ans devait, selon ce document, affranchir le côlon irritable de sa réputation de trouble psychosomatique et le présenter comme une "maladie crédible, fréquente et réelle". Le concept avait pour objet la commercialisation de l'Alosetron (appelé aux Etats-Unis Lotronex), produit par le groupe Glaxo-SmithKline.

Le but avoué de ce programme de formation était le suivant : "Il s'agit d'ancrer le syndrome dans la tête des médecins comme un état pathologique sérieux et autonome." Les patients devaient également "être persuadés que le syndrome est un trouble médical très répandu et reconnu". Les autres déclarations visaient à signaler la "nouvelle thérapie à l'efficacité cliniquement prouvée" : le Lotronex. Pour le lancement en Australie, une première étape consistait à fonder un collège de conseillers composé d'éminents médecins venus de chacune des régions du pays. Une lettre d'information était en outre prévue pour "créer un marché" et convaincre les gastro-entérologues qu'il s'agissait là d'une "maladie à prendre au sérieux".

Afin de remporter l'adhésion de médecins généralistes sceptiques, In Vivo Communications conseillait de plus la publication d'articles dans de prestigieuses revues médicales, insistant sur l'importance d'interviews avec les faiseurs d'opinion. Leur apparition, d'une "valeur inestimable", contribuerait en effet à la "crédibilité clinique" des informations. Des pharmaciens, des infirmières, des patients et une association médicale devaient également recevoir leur ration de documents publicitaires. Un "programme de soutien aux patients", enfin, devait permettre à Glaxo-SmithKline de toucher auprès des consommateurs "les dividendes de la fidélité, lors de la mise sur le marché d'un médicament concurrent". Pour la réussite du projet, In Vivo Communications jugeait "décisifs, tout particulièrement au niveau de la conscience du consommateur, un travail de relations publiques et une action au sein des médias".

Nombre des experts médicaux et des groupes de patients impliqués étaient sans doute animés de nobles intentions – c'est sur ce point justement que le plan d'action révèle combien le commerce de maladies se déroule de manière subtile : des médecins et des organisations apparemment indépendants, mais en réalité financés par une entreprise pharmaceutique, influencent l'opinion publique sur un état corporel ou mental – et ce, précisément au moment où le nouveau médicament arrive sur le marché.

La campagne sur le syndrome du côlon irritable dut cependant être stoppée. Après qu'aux Etats-Unis, la Food and Drug Administration (FDA) eut eu vent d'effets secondaires graves, le Lotronex fut retiré du marché américain en novembre 2000. Depuis juin 2002, il est à nouveau disponible sous réserve de publicité limitée et pour des indications restreintes. D'après les justifications adressées au fabricant par la FDA, "le syndrome ne peut être pris au sérieux que dans moins de 5 % des cas[20]". En Allemagne, ce principe actif n'est pas autorisé.

Loin d'être une exception, l'exemple du syndrome du côlon irritable constitue bien la règle. Dans un *Guide pratique de l'éducation médicale*, la revue britannique *Pharmaceutical Marketing* propose ainsi ouvertement à ses lecteurs des conseils pour promouvoir et gérer une maladie. Avant l'introduction sur le marché, il convient, selon la revue, de "constituer un besoin" et de "créer une demande" chez les prescripteurs[21].

Dès lors qu'une maladie inventée est acceptée par la conscience collective, les patients et les caisses d'assurance maladie paient tout naturellement pour les médicaments et traitements correspondants. Jusqu'à présent, toutes les réformes du système de santé publique ont omis de faire table rase de l'invention de maladies – rien ne s'oppose au pillage légal de la Sécurité sociale et des naïfs qui paient de leur poche.

En Allemagne, le principe de solidarité régnant, aucune des roues de l'engrenage des dépenses ne peut se dérober. Chaque habitant – du bébé au vieillard – verse chaque jour environ 7 euros au système de santé. En 1992, les dépenses de santé se situaient aux alentours de 163,2 milliards d'euros et atteignaient en 2001 la valeur record de 225,9 milliards d'euros – ce qui correspondait à 10,9 % du produit national brut.

Ce sont notamment les dépenses pour les produits pharmaceutiques qui explosent : en 2000, elles ont atteint 32,4 milliards d'euros en Allemagne, dépassant ainsi pour la première fois les dépenses liées aux actes médicaux. Dans les pays de l'Organisation de coopération et de développement économiques (OCDE) – dont les membres sont les trente pays les plus riches du monde –, la part des dépenses publiques consacrée aux produits pharmaceutiques est passée de 0,4 % (1970) à 0,7 % du PNB en 1996. Derrière ces chiffres apparemment insignifiants se cache une augmentation notable : 1,5 % de plus que la croissance économique moyenne.

En conséquence, les entreprises du médicament ont grandi et se sont enrichies. Si l'on prend comme référence le capital boursier, c'est-à-dire la valeur d'une entreprise à la Bourse, Big Pharma est aujourd'hui en concurrence avec des Etats entiers. Le laboratoire Pfizer se trouve à la dix-septième place, devançant ainsi la Suède et ses treize millions d'habitants (dix-neuvième place) ou encore Singapour[22].

Le Nuffield Council on Bioethics de Grande-Bretagne, un cercle élitaire de quinze philosophes, médecins et scientifiques, considère la médicalisation de notre existence comme une tendance générale. Dans un rapport paru en 2002, ce groupe d'analystes respecté dans le monde entier déclarait déjà : "L'un des problèmes réside dans l'élargissement du diagnostic, autrement dit la tendance à définir des troubles de manière si étendue que de plus en plus d'individus sont pris dans les filets du diagnostic." L'élément moteur de ce phénomène n'est autre, selon les penseurs britanniques, que l'appât du gain : "Lorsque des produits pharmaceutiques agissant sur une caractéristique sont développés, il est probable que l'on considère alors cette caractéristique comme un trouble ou comme une entité devant être traitée et modifiée[23]."

VISITE MÉDICALE CHEZ LES BIEN PORTANTS

La loi du marché n'est pas le seul facteur encourageant l'expansion de la médecine. Si cette dernière gagne du terrain si rapidement, c'est aussi parce qu'elle n'a connu aucun triomphe depuis des décennies. Quand les traitements contre des fléaux tels que le cancer échouent, quand des victoires contre des épidémies telles que le sida se font attendre, quand des brevets pharmaceutiques lucratifs arrivent à leur terme, quand des efforts de recherche acharnés (chaque jour paraissent environ cinq mille cinq cents articles médicaux[24]) n'apportent pas les fruits espérés, les médecins et les chercheurs du secteur pharmaceutique se tournent vers les individus en bonne santé.

"Les médecins de famille devraient aussi se rendre auprès des gens bien portants", titrait l'*Ärzte Zeitung*[25]. A l'origine de cette manchette : le gérontologue Andreas Kruse, de Heidelberg, dont le projet a été approuvé en haut lieu. L'intrusion du médecin de famille dans la sphère privée devrait permettre selon lui d'identifier d'éventuels risques pour la santé. Christoph Fuchs, président du Conseil de l'ordre des médecins, renchérit : "Il est souhaitable que le médecin jette un coup d'œil sur le nombre de bouteilles d'alcool qui traînent dans un coin, afin d'obtenir des indications sur une éventuelle solitude, des problèmes d'alcool ou des cas de dépression."

L'Anglais Roy Porter, spécialiste de l'histoire de la médecine, voyait dans la médicalisation de la vie un problème structurel des sociétés et des systèmes de santé occidentaux, car les soins médicaux les plus évolués qui soient y sont considérés comme un droit fondamental. Selon lui, cette situation génère "une pression immense – exercée par les médecins, le commerce médical, les médias, des entreprises pharmaceutiques à la publicité agressive et des individus consciencieux (ou de santé délicate) – pour que soit élargi le diagnostic des maladies susceptibles d'être traitées". D'où l'escalade conjointe des angoisses et des interventions. Médecins et consommateurs seraient d'ailleurs de plus en plus nombreux à s'imaginer que "tout le monde a quelque chose et que tout et tous peuvent être traités[26]".

Ce qui, d'un côté, assure à certains leur gagne-pain finit par retirer aux autres leur bien le plus précieux : la santé. La critique américaine Lynn Payer constate ainsi que les agissements des inventeurs de maladies "dévorent notre confiance, ce qui nous rend réellement malades". Sommes-nous en train de devenir un peuple d'invalides en bonne santé, non pas frappé par une maladie, mais accablé par la certitude d'en être atteint ? L'Américain Lewis Thomas, médecin et auteur, a été le premier à tirer la sonnette d'alarme : "Le nouveau danger qui nous menace, si nous continuons d'écouter tous ces discours, est que nous devenions une nation d'hypocondriaques bien portants, qui vivotent sans espoir et sont rongés par l'angoisse[27]."

Le Dr Knock aurait été ravi d'avoir de tels patients. Sa médecine tragicomique est aujourd'hui devenue réalité. Récemment, le *Schweizerische Ärztezeitung* en appelait à ceux de ses lecteurs qui ne connaissaient pas encore Knock, estimant qu'il était "grand temps de tirer les leçons de cette histoire à succès". Selon le journal, le médecin de campagne serait "un exemple en cela qu'il développe, à une époque où n'existent ni la Sécurité sociale, ni les séminaires de marketing, une stratégie promise au succès. Knock rachète à son prédécesseur un cabinet qui ne compte pratiquement aucun patient. En l'espace de trois mois seulement, il développe un commerce gigantesque qui satisfait toutes les parties. En des termes plus modernes : il s'agit là de la classique situation gagnant-gagnant de l'entreprise libérale[28]."

II

CONTES ET LÉGENDES
DE LA MÉDECINE MODERNE

> *Je respecte la certitude, mais c'est au*
> *doute que l'on doit sa culture.*
>
> WILSON MIZNER

Rien ne serait moins profitable à une campagne de publicité qu'un vieillard impuissant. En comparaison, Edson Arantes do Nascimento, plus connu sous le nom de Pelé, paraît véritablement sexy. L'ex-footballeur brésilien, qui a déjà dépassé la soixantaine, est néanmoins resté mince, porte des costumes et ne compte plus les aventures amoureuses – ce qui augmente considérablement sa crédibilité. Depuis 2002, Pelé aborde sur des affiches publicitaires et dans des spots télévisés un problème dont on ne parle pas volontiers. "Les troubles de l'érection. Parlez-en à votre médecin – à votre place, je le ferais."

Cette campagne (pour laquelle le laboratoire pharmaceutique américain Pfizer aurait signé à Pelé un chèque en dollars portant une somme à six chiffres) est intéressante par deux aspects.

D'une part, le solide footballeur à la retraite n'a, comme il l'affirme lui-même vigoureusement, aucun problème d'érection – ni de chasteté, d'ailleurs : à ce que l'on sait actuellement, Pelé est le père de quatre enfants conçus avec deux épouses différentes, et d'au moins deux filles conçues hors mariage.

Il est d'autre part étonnant que Pelé ne fasse pas même mention du Viagra, la petite pilule bleue fabriquée par son sponsor Pfizer. C'est précisément pour cette raison que la campagne d'information de Pelé au sujet de l'impuissance masculine constitue un excellent exemple des nouvelles stratégies utilisées par le marketing pharmaceutique : il ne s'agit plus aujourd'hui de battre le tambour pour des médicaments, mais bien plutôt de faire de la publicité pour des *maladies*. Dans les journaux ou sur les panneaux d'affichage, des messages éclatants nous mettent en garde : il se pourrait bien que nous soyons impuissants, dépressifs ou mycosiques.

Dépêché par le fabricant du Viagra Pfizer, Pelé s'inquiète – apparemment par simple amour de son prochain – de la virilité déclinante de ses pairs. Le manque de rigidité de la verge, autrement dit la dysfonction érectile, serait extrêmement répandu. Mais "la peur et la gêne empêchent beaucoup d'hommes de parler de problèmes d'érection avec leur médecin", déclare Pelé pour le compte de Pfizer[1].

Le laboratoire Wyeth, pour citer un autre exemple, fait quant à lui la publicité de la dépression. L'entreprise a fait paraître dans le magazine people *Bunte* un "Questionnaire du désir" visant à dépister de potentiels patients[2]. L'annonce explique : "La vie ne vous offre pas toujours ce que vous en attendez. Vous êtes profondément déçu – une crise passagère peut survenir. Aucune raison de s'inquiéter. Mais si la crise persiste, tout finit par vous sembler morne. Et à long terme, cela peut vous rendre malade. Testez vous-même votre état de santé. Tout de suite." Suit un questionnaire :

"1. Vous désintéressez-vous de votre relation de couple ou n'êtes-vous plus capable de vous réjouir de cette relation autant qu'avant ?

2. Vous est-il difficile de vous affranchir des soucis et des angoisses en rapport avec le couple ou la solitude ?

3. Votre poids ou votre appétit a-t-il sensiblement diminué / augmenté ces derniers temps ?

4. Avez-vous des difficultés à vous endormir ou à dormir une nuit complète ?

5. Votre désir sexuel était-il récemment moins fort qu'à l'accoutumée ou ne ressentez-vous plus aucun désir sexuel ?

6. Avez-vous le sentiment que vos amis et vos connaissances se détournent peu à peu de vous ?

7. Vous sentez-vous fréquemment inutile ?"

Quiconque répond par l'affirmative à quatre de ces sept questions est d'emblée déclaré mûr pour un traitement. Le laboratoire pharmaceutique recommande alors de "prendre conseil auprès d'un médecin".

Des psychiatres sérieux rejettent catégoriquement ce questionnaire. Peter Riedesser, qui dirige à Hambourg-Eppendorf le service de psychiatrie et de psychothérapie infantile et juvénile de la clinique universitaire, déclare : "Le questionnaire montre vers qui les laboratoires pharmaceutiques se tournent de plus en plus : vers le consommateur final, qui doit ensuite influencer le corps médical."

Les entreprises du médicament voudraient bien en effet vendre leurs petits cachets sans passer par des intermédiaires, c'est-à-dire directement auprès du consommateur. Cette pratique est toutefois interdite, du moins au sein de l'Union européenne, pour les médicaments délivrés sur ordonnance. La publicité dite de *disease awareness*, qui sensibilise le consommateur à une maladie et à un traitement, est née de cet obstacle. Ces vastes campagnes publicitaires doivent tout d'abord convaincre la population de l'existence de certaines maladies – avec une arrière-pensée : vendre ensuite les médicaments et les traitements correspondants.

Cette forme indirecte de publicité pour des médicaments est de plus en plus prisée par le secteur pharmaceutique. Des affiches publicitaires, des annonces dans la presse et le recours à Internet permettent aux fabricants de médicaments de suggérer à tout un chacun qu'il est malade et doit être pris en charge. "L'année 2001 a été marquée par une augmentation du nombre de laboratoires pharmaceutiques se consacrant à des opérations d'information du public, note Chris Ross, expert en marketing. Le patient informé est rapidement devenu le point de mire des stratégies marketing des grandes entreprises du médicament[3]."

Ces campagnes de sensibilisation ne sont que l'une des facettes de la longue litanie destinée à nous faire perdre l'habitude d'être en bonne santé. C'est aux inventeurs de maladies qu'incombe la tâche d'évangéliser les foules : ces missionnaires nous apprennent ainsi sans cesse l'existence de nouveaux symptômes et syndromes, qui mettraient en danger notre bien-être psychique et corporel.

Ce qui nous est alors présenté comme un nouveau danger ou comme un traitement sensationnel repose bien souvent sur les prétendus progrès de la médecine moderne. Méfiance et scepticisme sont ici de mise : entre l'institut de recherche clinique et le profane en médecine, l'information parcourt un long chemin, bordé d'individus qui, de par leur profession, ont tout intérêt à falsifier et à manipuler les différents messages concernant notre santé. Les chercheurs, mais aussi les journalistes, les médecins et les employés des laboratoires pharmaceutiques ne peuvent pas toujours résister à cette tentation.

Qu'il s'agisse du conseil du médecin de famille, de l'article paru dans une revue professionnelle renommée, de la plaquette du laboratoire pharmaceutique ou de l'article médical publié dans un quotidien, avant de parvenir à nous, l'information a souvent été censurée, modifiée ou complétée. Il convient donc d'observer comment se produit cette manipulation de la sphère médicale.

DANS LA LIGNE DE MIRE DE L'INDUSTRIE PHARMACEUTIQUE : LES MÉDECINS

Tout médecin soucieux d'aider son prochain devient lui-même l'objet de toutes les attentions d'un tiers : chaque année, l'industrie pharmaceutique dépense entre 8 000 et 13 000 euros par médecin, dans des actions de marketing qui doivent inciter le médecin à prescrire les comprimés et les produits de l'entreprise. Médecins installés et médecins hospitaliers sont ainsi véritablement pris d'assaut par les délégués des laboratoires. A elle seule, l'entreprise Glaxo-SmithKline emploie en Europe et aux Etats-Unis une armée de 17 000 visiteurs médicaux. Aux Etats-Unis, le nombre total de vendeurs de produits pharmaceutiques a augmenté de 110 % entre 1996 et 2001, passant de 42 000 à 88 000 visiteurs médicaux.

En raison de cette affluence, le temps qu'un médecin peut consacrer aux nombreux visiteurs a tellement diminué qu'il est devenu une valeur marchande à part entière. C'est ce filon que l'entreprise Time-Concepts, dont le siège est aux Etats-Unis, dans le Kentucky, a choisi d'exploiter. Pour 105 dollars, elle fournit aux visiteurs médicaux un entretien de dix minutes avec un médecin. Time-Concepts encaisse 50 dollars, tout comme le médecin, qui peut en outre choisir l'œuvre de bienfaisance à laquelle seront versés les 5 dollars restants[4].

Le système de rémunération de Time-Concepts a au moins l'avantage d'être plus franc que les pratiques traditionnelles : d'habitude, les vendeurs de médicaments et de matériel briguent les bonnes grâces des médecins en distribuant invitations à déjeuner, billets de congrès vers des destinations exotiques et autres avantages. Même les étudiants en médecine en fin d'études reçoivent des cadeaux de la part des laboratoires pharmaceutiques. Les internes des hôpitaux universitaires américains sont ainsi invités presque tous les jours à déjeuner, même s'il ne s'agit alors que d'une pizza. Les médecins qui fréquentent les séminaires de l'industrie peuvent quant à eux compter sur un repas dans un restaurant chic.

La frontière qui sépare le marketing autorisé de pratiques de rétribution illégales est floue. Pour le *gas-and-go*, par exemple, le médecin et le visiteur médical se retrouvent dans une station-service. Le délégué du laboratoire a ainsi la possibilité de présenter ses produits et paie en échange la facture d'essence du médecin[5]. En mars 2002, le parquet de Munich a ouvert une instruction contre plusieurs milliers de médecins allemands et des collaborateurs du groupe SmithKline-Beecham.

Présomptions de prise illégale d'intérêts, corruption passive et complicité par assistance à soustraction frauduleuse à l'établissement de l'impôt, tels étaient les chefs d'accusation des procureurs, qui procédèrent à la saisie de nombreux documents au siège de l'entreprise. D'après les dossiers émis par des agences de voyages, certains médecins auraient accepté des invitations à la finale de la Coupe du monde de football à Paris, en 1998, ainsi qu'à des courses de formules 1. En outre, le laboratoire pharmaceutique aurait, conformément aux soupçons émis, financé des livres et des ordinateurs.

De tels scandales révoltent régulièrement la population et viennent conforter le cliché de l'"escroc en blanc". Toutefois, les médecins qui se laissent directement acheter par l'industrie restent une exception. Les mécanismes subtils par lesquels l'industrie agit sur le quotidien des médecins sont en revanche bien plus répandus et par conséquent bien plus inquiétants. Or, la promiscuité qui existe entre les entreprises et les médecins est aujourd'hui acceptée comme un fait allant de soi.

En Allemagne, la plupart des formations continues destinées aux médecins sont ainsi ouvertement financées par l'industrie pharmaceutique. Seule une part infime des manifestations est officiellement considérée comme indépendante. Une enquête de

Peter Sawicki, médecin-chef à Cologne, et de deux de ses confrères de l'académie de Rhénanie-du-Nord pour la formation médicale continue a cependant démontré que, même dans le cas de ces formations dites indépendantes, il faut en réalité compter avec la présence des fabricants de médicaments. Pour trente-deux des cinquante et une manifestations analysées, l'enquête révélait en effet la participation indéniable d'entreprises telles que Roche, Bayer, Pfizer et Hoechst à ces séminaires prétendument indépendants.

Des stylos à bille et des blocs aux couleurs des laboratoires étaient prévus pour les médecins, ainsi que des en-cas et des boissons distribués pendant les pauses, et, pour la moitié des manifestations, la journée se terminait par un dîner. Peter Sawicki doute de ce que la présence des laboratoires pharmaceutiques puisse ne pas porter à conséquence : "Il est en effet à craindre que le choix des conférenciers et le contenu des manifestations soient influencés par les intérêts économiques des entreprises concernées[6]."

AVEC LES COMPLIMENTS DE L'INDUSTRIE

Les prétendus progrès de la médecine ont atteint une telle démesure que seule une infime part des médecins parvient encore à se repérer dans la jungle des diagnostics et traitements possibles. Cette situation a motivé la création de *guidelines* devant permettre une meilleure orientation. Formulées par des experts en médecine – bien souvent après d'âpres négociations –, ces directives médicales ont pour objectif d'aider une foule de collègues moins spécialisés à agir selon l'état le plus récent des connaissances scientifiques.

Qu'un traitement médicamenteux soit recommandé dans une directive, et c'est le fabricant qui, pour ainsi dire, encaisse un chèque en blanc – qui plus est avec l'assentiment de l'Etat. Les découvertes de chercheurs réunis autour d'Allan Detsky, médecin au Mount Sinai Hospital de Toronto, n'en sont que plus retentissantes : celles-ci révèlent en effet que les directives médicales sont, dans une mesure inquiétante, soumises à l'influence de l'industrie. Dans le cadre de leur étude, les chercheurs de Toronto s'adressèrent par courrier à cent quatre-vingt-douze auteurs de directives, en Europe et en Amérique du Nord, les questionnant sur d'éventuels liens avec l'industrie pharmaceutique. Fait intéressant, la moitié des médecins interrogés préférèrent d'emblée s'abstenir de toute réponse.

L'analyse des cent réponses qui purent être collectées fournit les résultats suivants : 87 % des rédacteurs de directives entretenaient de manière générale des liens avec l'industrie pharmaceutique, 59 % d'entre eux avaient des liens avec les entreprises dont ils avaient conseillé les produits dans des directives, 38 % étaient conseillers ou même employés des entreprises pharmaceutiques et 6 % détenaient des actions dans les entreprises en question. Parmi toutes les directives analysées, il ne s'en trouvait en outre aucune qui aurait été élaborée indépendamment des fabricants de médicaments. "Il semble ainsi exister un nombre considérable d'interactions entre les auteurs de directives cliniques et l'industrie pharmaceutique, constate Allan Detsky avec sobriété, tout en s'inquiétant : Ce type d'interactions pourrait bien influencer les habitudes d'un très grand nombre de médecins."

Critiques, les scientifiques de Toronto revendiquent ce qui semble *a priori* tout naturel : à l'avenir, tous les conflits d'intérêts des auteurs devraient figurer dans les directives médicales. En outre, les médecins dont les conflits d'intérêts sont "significatifs" devraient par principe être exclus de la rédaction de directives. Reste à savoir comment déterminer les liens entre médecin et industrie qui sont significatifs et ceux qui ne le sont pas... Allan Detsky, conscient de la difficulté qu'il y a ici à tracer une frontière nette, s'interroge avec ironie : "Y a-t-il un seuil en deçà duquel les auteurs ne sont pas soumis à l'influence inconsciente de leurs liens avec l'industrie pharmaceutique[7] ?"

UNE IMAGE TROMPEUSE : L'INTÉGRITÉ DE LA RECHERCHE

Des interconnexions entre le commerce et la médecine structurent l'ensemble de la sphère médicale : les médecins conseillent les fabricants de médicaments et testent leurs principes actifs lors d'études cliniques. Ils sont membres des Advisory Boards, ces collèges en apparence indépendants qui entrent en scène juste au moment du lancement des médicaments. Professeur spécialiste de la santé de la femme à l'Université libre de Berlin, Martina Dören craint que les médecins ne se retrouvent ainsi dans un rapport de dépendance. "Les associations professionnelles ne disposant que de fonds réduits, approvisionnés selon le principe de cotisation des membres, le fait est que les congrès ne pourraient plus exister sans le soutien financier des laboratoires pharmaceutiques[8]."

Asmus Finzen, psychiatre à Bâle, observe lui aussi avec une inquiétude grandissante le couple que forment médecine et commerce. Les chercheurs "interviennent en tant que représentants permanents lors de réunions d'entreprise, signent des publications rédigées par des nègres de l'industrie et se font les défenseurs de certains médicaments ou appareils lors de manifestations financées par les entreprises. Ils acceptent des cadeaux de grande valeur et se font offrir des voyages de luxe. Ils concluent des brevets et des contrats de participation et possèdent des parts dans l'entreprise sous la forme d'actions ou d'options" – tel était le triste bilan que dressait Asmus Finzen dans le *Deutsches Ärzteblatt*, soulignant en outre : "Certes, tous les chercheurs en médecine ne sont pas liés à l'industrie par des relations identiques ou similaires. Mais ils sont nombreux[9]."

En Allemagne, il n'est pas rare que les professeurs de médecine et les cliniciens soient chargés par des entreprises d'intervenir lors de conférences de presse, empochant à cette occasion des honoraires considérables. Dans le cadre de l'*opinion leader management* ou "gestion des leaders d'opinion", les commerciaux des laboratoires pharmaceutiques tentent donc de recruter des médecins prêts à intervenir en public contre rémunération, tout en servant les intérêts de l'entreprise. Avant de commencer sa prestation, le médecin doit ainsi informer le laboratoire pharmaceutique des diapositives qu'il souhaite passer lors de sa conférence.

A l'occasion de ces *slide reviews*, il arrive ainsi que "l'entreprise veuille retirer de la conférence la moitié des diapositives", raconte Hartmut Porst, urologue à Hambourg.

LA RECONNAISSANCE DU VENTRE

Si l'on en fait le reproche aux médecins, ceux-ci se défendent vigoureusement de ce que leurs liens financiers avec l'industrie pourraient influencer leur travail et leur jugement. En tant que scientifiques, ils s'estiment en effet capables de préserver leur objectivité. Selon eux, il importe donc peu de savoir par qui sont financées leurs recherches. "Même quand ils acceptent des voyages vers des destinations luxueuses, les médecins démentent toute influence de l'industrie", déclare Susan Coyl. Dans une vaste étude, cette spécialiste en bioéthique a décrit pour le compte de la Société américaine de médecine interne l'influence de l'industrie pharmaceutique sur les médecins. Son enquête démontre que l'indépendance de ces derniers est clairement menacée : "Des analyses scientifiques révèlent que le fait d'accepter des présents de l'industrie et celui de pencher en faveur des produits correspondants sont indéniablement liés[10]."

Le groupe de chercheurs réunis autour de Henry Stelfox, de l'université de Toronto, en apporte par exemple la preuve en s'appuyant sur l'exemple d'un médicament sujet à controverse (les inhibiteurs calciques). Les chercheurs ont lu soixante-dix publications sur le sujet et les ont réparties en trois catégories : critiques, neutres ou favorables. Par l'intermédiaire de questionnaires, ils ont ensuite demandé aux auteurs de ces publications dans quelle mesure ceux-ci avaient bénéficié de dons de l'industrie. Le résultat de l'étude est indiscutable : tous les auteurs qui avaient fait l'éloge du médicament avaient, d'une manière ou d'une autre, bénéficié des largesses de l'industrie. Dans 96 % des cas, les défenseurs du médicament avaient reçu une somme d'argent de la part du fabricant de ce produit. Pour comparaison : seuls 37 % des médecins "critiques" avaient accepté de l'argent de l'industrie[11].

L'arme la plus efficace des vendeurs de maladies, ce sont les études publiées dans les revues médicales et qui semblent attester l'utilité du médicament. Ces articles sont souvent décisifs quant à l'autorisation ou non d'une nouvelle molécule. En outre, ils déterminent si et dans quelle mesure les médecins auront ensuite recours à ce médicament.

Or, ces comptes rendus spécialisés, apparemment objectifs, sont dans bien des cas soumis à l'influence de l'industrie pharmaceutique. Lisa Kjaergard, médecin au centre hospitalier universitaire de Copenhague, a ainsi analysé cent cinquante-neuf articles spécialisés, relevant de douze disciplines médicales différentes, et en conclut : lorsque les chercheurs travaillent pour le compte de l'industrie, leur jugement quant à l'utilité de la forme thérapeutique analysée est, plus souvent qu'en moyenne, positif[12].

Une étude publiée par le médecin californien Thomas Bodenheimer dans le *New England Journal of Medicine* révèle également l'emprise nette, voire frappante, que l'industrie exerce sur les études cliniques : les laboratoires pharmaceutiques censurent, embellissent et modifient les résultats des études qu'ils confient à des chercheurs indépendants. Six des douze chercheurs que Bodenheimer a interrogés avouaient ainsi qu'on avait influé sur leur travail. Les résultats jugés déplaisants du point de vue de l'entreprise n'avaient pas été publiés ou avaient été manipulés.

Dans l'un des cas, le laboratoire pharmaceutique retarda la publication de l'étude en exigeant que certains points soient retravaillés. "Entre-temps, l'entreprise rédigeait en secret et à son propre avantage un contre-article sur le même thème", explique Thomas Bodenheimer. Un autre chercheur, qui avait mis en évidence les effets secondaires d'un produit, remit au laboratoire pharmaceutique un manuscrit dans lequel il décrivait le résultat de ses observations. Le laboratoire menaça alors le médecin sceptique de ne plus financer ses recherches et publia un autre article qui n'évoquait que vaguement les effets secondaires. Dans un autre cas, enfin, la molécule testée par les médecins leur était apparue comme n'ayant aucun effet. Le laboratoire, qui partageait apparemment leur avis, fit discrètement disparaître l'article dans un tiroir.

Il est évidemment rare d'en arriver à de telles manœuvres grossières. Car la plupart du temps, ainsi que le montrent les recherches de Thomas Bodenheimer, les études auxquelles est soumis un médicament ont été dès le départ conçues et planifiées de manière à présenter le produit sous son meilleur jour. L'un des médecins interrogés déplorait ainsi : "La mainmise de l'industrie sur les données permet aux entreprises de déformer celles-ci à leur avantage[13]."

En 2001, lors du congrès annuel de la Société européenne de cardiologie à Stockholm, Marteen Simons, cardiologue hollandais, s'est même plaint publiquement de ses bailleurs de fonds, issus de l'industrie médicale. Un groupe l'aurait en effet instamment prié "de ne pas publier inutilement des données qui pourraient causer un préjudice économique à l'entreprise[14]".

Compte tenu de cette situation, il serait souhaitable que l'industrie pharmaceutique se retire de la recherche clinique – mais rien n'est moins probable. Bien au contraire : les caisses des hôpitaux publics, des cliniques universitaires et des instituts publics de recherche sont vides. Pour préserver les activités de recherche, les médecins sont donc aujourd'hui plus que jamais à la merci des financements de l'industrie et des sponsors.

Ainsi, l'élite de la science allemande a elle aussi conclu un pacte avec un géant du médicament. En octobre 2002, la société Max-Planck, financée par l'argent des contribuables, a fondé à Munich avec le laboratoire Glaxo-SmithKline un laboratoire de recherche commun. Le Genetic Research Centre, intégré à l'institut de psychiatrie Max-Planck, est financé à hauteur de plusieurs millions par Glaxo-SmithKline.

En échange, les chercheurs de l'industrie pharmaceutique accèdent à un trésor qu'ils n'auraient pu se procurer pour tout l'or du monde : une collection exceptionnelle d'échantillons de tissus humains. Les scientifiques de l'institut Max-Planck, réunis autour du psychiatre Florian Holsboer, sont en effet à la recherche des fondements biologiques de la dépression. En analysant les protéines en présence dans le liquide céphalorachidien ainsi que les hormones de stress dans le sang, et en mesurant les courants électriques dans le cerveau de centaines de personnes dépressives, ils ont réuni une banque de données unique au monde.

Dans le laboratoire hybride – mi-industrie pharmaceutique, mi-institut Max-Planck –, il sera donc primordial de séparer nettement les intérêts scientifiques des intérêts économiques. Car dans le cas contraire, l'industrie pourrait bien décider de la voie que doit prendre la recherche au sein de l'institut public Max-Planck.

Régulièrement, les laboratoires pharmaceutiques confient à des chercheurs universitaires le soin de contrôler l'utilité et la sécurité de leurs médicaments. Mais les travaux réalisés par les médecins au sein des CHU coûtent cher et relèvent d'une démarche critique – c'est pourquoi les laboratoires pharmaceutiques, changeant leur fusil d'épaule, confient actuellement plus volontiers à des cliniques privées la charge de réaliser leurs études cliniques : 40 % seulement des fonds que l'industrie consacre à la recherche sont attribués à des scientifiques universitaires, 60 % sont aujourd'hui versés à des entreprises privées – cette dernière valeur ayant triplé en moins de dix ans.

Nous assistons ainsi à la constitution d'un complexe économique de plusieurs milliards, auquel la transparence fait cruellement défaut : les groupes pharmaceutiques engagent dans la réalisation de tests des centaines d'entreprises spécialisées qui, de leur côté, travaillent en collaboration avec des milliers de médecins installés. Pour finir, ceux-ci recrutent dans leur salle d'attente la population-test et empochent ainsi des primes par tête. Aux Etats-Unis, les fabricants de médicaments sont prêts, pour accéder rapidement à un volontaire, à dépenser entre 2 000 et 5 000 dollars[15]. En Allemagne, le tarif se situerait entre 1 500 et 1 700 euros par participant à l'étude, explique Hartmut Porst. Urologue à Hambourg, celui-ci mène avec ses patients des études cliniques sur les produits contre l'impuissance.

L'explosion de la recherche privée risque de renforcer encore l'influence des grands groupes sur les études cliniques, s'inquiète un comité de dix éthiciens issus de l'American Medical Association. Les entreprises privées sous contrat "pourraient se retrouver au sein d'un important conflit d'intérêts, puisqu'elles sont payées par l'industrie pharmaceutique, dont la survie dépend au final des bons résultats des tests[16]".

Certaines études portant sur des médicaments ne sont d'ailleurs pas réalisées pour résoudre des questions scientifiques, mais uniquement organisées pour placer un médicament sur le marché. Hans Ter Steege, qui enquête pour l'Office d'hygiène et de santé de La Haye, s'est penché sur ce que l'on appelle "les études d'application". Celles-ci sont normalement destinées, après autorisation du médicament, à répondre aux dernières questions scientifiques. Les recherches de Hans Ter Steege ont cependant démontré que, pour deux tiers des études, les laboratoires poursuivaient ouvertement un autre but : celui d'établir leurs produits sur le marché.

Et voici comment fonctionne l'astuce : le médecin recrute parmi ses patients des volontaires pour l'étude et leur prescrit le médicament testé – opération pour laquelle il reçoit une certaine somme d'argent du laboratoire pharmaceutique. De cette manière, les entreprises habituent les médecins et leurs patients au nouveau médicament – afin que les uns le prescrivent et que les autres l'utilisent, bien après que la prétendue étude est terminée[17].

LE MYTHE DU PATIENT BIEN INFORMÉ

Dans leur incessante quête du profit, les laboratoires pharmaceutiques n'exercent pas seulement leur influence sur les médecins et les chercheurs. De plus en plus souvent, ils se tournent directement vers le client potentiel et tentent d'éveiller en lui la nécessité d'une prise en charge médicale. En Allemagne, l'Union fédérale de l'industrie pharmaceutique a par exemple proposé à des groupes de patients des séminaires leur permettant d'apprendre comment mener des actions de relations publiques. Rusée, l'industrie met à contribution des associations de personnes touchées qui feront ainsi connaître les maladies à l'ensemble de la population.

Un rapport du Boston Consulting Group conseille d'ailleurs aux laboratoires pharmaceutiques de systématiquement se rapprocher des consommateurs : "Les entreprises ont le pouvoir d'augmenter la demande en accompagnant de manière continue et ciblée chaque décision du consommateur." Le document promet des lendemains qui chantent au complexe médico-industriel : à l'avenir, des traitements devraient en effet être "disponibles pour lutter contre des états de santé et des dispositions autrefois non traités[18]".

Avec Internet, les laboratoires pharmaceutiques disposent en outre aujourd'hui d'un moyen idéal pour "associer plus étroitement le patient" à leur action, ainsi que le formule le cabinet de conseil A. T. Kearney, installé à Düsseldorf. Et en effet, les campagnes de sensibilisation sont flanquées de leurs propres pages Internet, par lesquelles les consommateurs peuvent s'informer sur les prétendues maladies. De même, les organisations de patients et les associations de médecins communiquent par l'intermédiaire d'Internet – et leurs pages sont souvent financées par des laboratoires pharmaceutiques.

A. T. Kearney a développé pour un groupe américain une stratégie *Direct Patient Access* : l'accès direct aux patients est assuré par des brochures, des sites Internet et des centres d'appel. Fait intéressant : l'information ainsi proposée ne doit pas se limiter à des thèmes médicaux, mais aborde également le mode de vie ainsi que des questions psychologiques.

Le groupe pharmaceutique dispose ainsi d'une sorte de ligne directe auprès du client. Si la loi allemande autorise un jour cette pratique, imagine A. T. Kearney, les consommateurs pourront par ce canal s'approvisionner en médicaments uniquement délivrés sur ordonnance. Tandis que le patient sera pris en charge sur Internet par l'industrie pharmaceutique, le médecin traitant pourra, toujours selon le cabinet de conseil, se concentrer sur sa "véritable tâche" – reste à savoir en quoi celle-ci consistera alors.

Un moyen particulièrement efficace de faire connaître une maladie est de faire appel à des personnalités connues. Celles-ci n'interviennent pas toujours aussi ouvertement que le fringant Pelé ou l'épouse du ministre-président de Bavière, Karin Stoiber, qui fut marraine de la Journée mondiale de l'ostéoporose à Munich en octobre 2002. La tâche de l'Américaine Amy Domer Schachtel, attachée de relations publiques, consiste plutôt à discrètement atteler des célébrités à la charrue de l'industrie pharmaceutique. Les visages connus évoquent ainsi en public des maladies peu connues – et nombre d'entre eux sont payés pour le faire. "La tendance est en forte hausse", déclare Amy Domer Schachtel, dont l'agence Premier Entertainment est installée dans un appartement du New Jersey[19].

Les poulains de l'attachée américaine ont même réussi à passer dans les plus grandes émissions de télévision des Etats-Unis. Dans le *Today Show*, Kelsey Grammer, célèbre star d'une sitcom américaine, évoquait par exemple avec sa femme le syndrome du côlon irritable. L'actrice Cybill Shepherd, de son côté, révélait à l'animatrice-vedette Oprah Winfrey et à ses millions de téléspectateurs le nom du produit qu'elle utilisait contre les désagréments de la ménopause.

Des stars hollywoodiennes telles que Kathleen Turner ou Lauren Bacall évoquèrent elles aussi leurs petits bobos à la télévision américaine – ni les téléspectateurs, ni les chaînes de télévision n'imaginaient qu'elles étaient alors payées par l'industrie pharmaceutique. Kathleen Turner, en racontant son combat contre l'arthrite, reçut par exemple des honoraires des laboratoires Amgen et Wyeth.

Récemment, la chaîne d'information CNN a enfin pris des mesures contre cette forme de publicité déguisée : les stars sont interrogées sur leurs liens financiers avant d'être autorisées à s'exprimer sur leur état de santé devant une caméra[20].

TOUT VIENT A POINT POUR QUI SAIT SE VENDRE

Au sein de l'Union européenne, le lobby pharmaceutique réclame l'autorisation de faire la publicité de ses produits directement auprès du consommateur. En ce qui concerne les médicaments uniquement délivrés sur ordonnance, cette pratique est encore interdite – pour de bonnes raisons, ainsi que le prouve un rapide coup d'œil vers les Etats-Unis : en 1997, la FDA, qui autorise la mise sur le marché des produits pharmaceutiques, décide d'en faciliter la publicité. Il devient alors possible de laisser de côté des informations précises sur les effets secondaires. Résultat : depuis que les petits caractères ont pu disparaître des annonces publicitaires, le nombre de campagnes pour les produits délivrés sur ordonnance a bel et bien explosé.

Les publicités pharmaceutiques concernent rarement des maladies graves. Généralement, elles visent plutôt les états de santé qui se situent entre maladie et non-maladie. Dans cette zone d'ombre, il est en effet possible de convaincre les gens qu'ils souffrent de tels ou tels maux, ce qu'attestent les recherches de Lisa Schwartz, de la Darmouth Medical School de Hanover (New Hampshire). Elle et son équipe ont évalué soixante-sept publicités pour différents médicaments, parues dans dix magazines grand public américains, tels que *Time, People* ou *Good Housekeeping*.

Les conclusions de l'analyse nous sont étrangement familières : "D'après nos résultats, lorsque la publicité en est faite directement auprès du consommateur, les médicaments délivrés sur ordonnance ciblent majoritairement des symptômes très répandus (comme par exemple le rhume, la chute de cheveux, le surpoids), symptômes pour lesquels les patients n'ont pas forcément besoin d'un médecin. Il est vrai que pour certains d'entre eux, un traitement pharmacologique peut être adapté. Mais le plus souvent, on transforme des expériences normales en diagnostic, par exemple en présentant un pauvre nez qui coule sous forme de rhinite allergique, et la manière dont les frontières de la médecine sont ainsi repoussées représente un véritable danger."

En utilisant un procédé des plus classiques, les messages publicitaires favorisent la médicalisation, dénonce Lisa Schwartz. Dès lors que le consommateur se fait prescrire un médicament par son médecin, son état devient en effet un symptôme et "la personne concernée devient alors un patient[21]".

Chaque jour, le citoyen américain voit à la télévision en moyenne neuf spots publicitaires pour des médicaments[22]. En 1999, le budget publicitaire de l'industrie s'élevait à 1,8 milliard de dollars. En l'an 2000, par exemple, près de 47 millions d'euros ont été dépensés pour couvrir les frais publicitaires d'un antidépresseur, le Paxil*. Sur le marché américain,

---

* Nom de marque de la paroxétine aux Etats-Unis, commercialisée en France sous le nom de Deroxat. *(N.d.T.)*

où la concurrence est pourtant vive, les ventes ont alors augmenté de 25 %, amenant la pilule du bonheur à la huitième place des médicaments les mieux vendus[23].

Aux Etats-Unis, le nombre de personnes déroutées qui se rendent chez le médecin augmente en même temps que les budgets publicitaires. 20 % des Américains adultes prennent aujourd'hui rendez-vous chez le médecin à la suite d'une publicité pharmaceutique, comme l'a montré un sondage représentatif mené auprès de 25 182 personnes[24].

QUAND LES JOURNALISTES S'EN MÊLENT

Les médias sont devenus pour l'industrie pharmaceutique un outil essentiel. Chaque jour, les rédactions reçoivent des invitations à des séminaires, des colloques et des ateliers financés par l'industrie. S'ajoutent à celles-ci des piles de communiqués de presse et de plaquettes informatives. Et pour que les journalistes prennent la peine de se déplacer, les frais de voyage et d'hôtel sont généralement pris en charge.

Croisières estivales sur l'Alster à Hambourg, dégustation de vins et de cigares ou dîners somptueux font également partie du programme prévu pour la presse. En février 2003, l'entreprise Dr Kade/Besins a par exemple organisé à Hambourg une conférence de presse pour présenter son nouveau gel à la testostérone. Le programme annexe avait de quoi réjouir les journalistes : il s'agissait selon l'invitation d'un "cours de cuisine exclusif avec dégustation et séminaire œnologique" au très renommé restaurant *Le Canard*.

Le laboratoire Lilly-Icos a lui aussi bien fait les choses lors de la présentation au Centre des congrès de Hambourg, en décembre 2002, de sa nouvelle pilule contre l'impuissance. Pour clore la rencontre, les journalistes ont été conviés à un "banquet des Mille et Une Nuits – avec spécialités de Syrie et ambiance orientale".

L'accès au journaliste est un service que les médecins et les laboratoires pharmaceutiques négocient à haut prix auprès des agences de relations publiques. "Nous vous ouvrons les portes de la presse" – tel est par exemple le slogan de l'agence Impressum, à Hambourg, qui travaille pour de nombreuses sociétés de la sphère médicale. Le rôle de l'agence est alors de faire jouer ses relations avec les rédactions et de se charger des relations publiques lors des congrès. Un prospectus d'Impressum explique : "Grâce à des annonces en amont et à des contacts directs, nous avons atteint une participation allant, selon la taille du congrès, de cinquante à trois cent cinquante journalistes. Il a ainsi été possible d'obtenir dans la presse, à la télévision ou à la radio jusqu'à cinq cents comptes rendus par congrès."

Bien souvent, les journalistes se contentent de reprendre les histoires qu'on leur sert et les diffusent sans faire preuve d'esprit critique. On ameute ainsi les foules sans réfléchir en présentant d'éventuels traitements comme de véritables sensations – puis, dans la majorité des cas, il n'en est plus jamais question. La tendance à l'exagération est un défaut professionnel chez bien des journalistes médicaux : ces derniers amplifient souvent la fréquence d'une maladie et son potentiel de risques, et ce, afin de rendre leurs contributions sur le sujet pertinentes et essentielles.

L'ampleur de la désinformation dans la presse médicale a rarement été analysée de manière systématique. Il s'avère donc d'autant plus instructif de consulter sur ce point les travaux de la Harvard Medical School parus en juin 2000[25]. Les quatre auteurs de l'étude ont examiné des articles et comptes rendus portant sur trois médicaments, analysant ainsi deux cent sept contributions au total. Celles-ci avaient été publiées dans des journaux américains leaders (le *Wall Street Journal*, le *New York Times*, le *Washington Post*), dans trente-trois autres journaux américains ou encore diffusées sur les quatre grandes chaînes de télévision ABC, CBS, CNN et NBC. Les résultats de l'étude sont également signifiants pour les médias allemands : les rédactions allemandes, en effet, travaillent sur un modèle similaire et utilisent volontiers des récits à caractère médical émanant des médias américains.

Les résultats de l'analyse de Harvard font froid dans le dos : dans 40 % des cas, il manquait des données et des chiffres concernant l'effet supposé du médicament, si bien que le lecteur (ou le téléspectateur) ne pouvait en aucun cas se faire une idée de l'utilité du produit. Sur les cent vingt-quatre reportages qui fournissaient des indications quantitatives, 83 % se contentaient d'évoquer l'utilité relative du produit – une mauvaise habitude largement répandue qui a tôt fait d'induire en erreur lecteurs et téléspectateurs.

Un exemple : un documentaire de CBS sur l'ostéoporose déclarait qu'un nouveau médicament réduisait de 50 % le risque de fracture de la hanche.

Le reporter qualifiait ce chiffre de "presque miraculeux" – il faut dire que celui-ci se rapportait au risque *relatif*. En chiffres *absolus*, le miracle paraît en effet bien plus modeste : sur les cent personnes à qui le médicament n'avait pas été administré, *deux* furent victimes d'une fracture de la hanche. Dans le groupe comparatif, la fracture ne concernait qu'une personne. Le médicament en question a donc fait passer le nombre de fractures parmi les personnes-tests de 2 % à 1 %.

Dans 53 % des contributions analysées, les nombreux effets secondaires des trois médicaments (l'aspirine, l'hypolipémiant Pravastatine et le régulateur du métabolisme osseux Alendronate) n'ont pas même été évoqués. Et pour finir : 61 % des contributions taisaient les liens financiers existant entre les experts cités et les fabricants de médicaments impliqués.

Les chercheurs de Harvard réclament la mise en place d'un "programme d'éducation" pour les journalistes médicaux, afin que ces derniers soient enfin en mesure de fournir des contributions plus pondérées. Mais est-ce réellement ce que souhaitent les journalistes ? La plaisanterie qui prétend que les journalistes gagnent leur vie en attisant l'hypocondrie de la population et en sonnant sans cesse le tocsin pour n'importe quelle maladie n'est pas si éloignée de la vérité : car les prétendues mauvaises nouvelles émanant des inventeurs de maladies sont toujours de bonnes nouvelles pour les médias.

III

LA MALADIE DU DIAGNOSTIC

Un homme en bonne santé est un homme qui a été mal examiné.

DICTON MÉDICAL

Des guérisseurs ambulants sillonnent le pays. Ils se déplacent dans des engins futuristes et n'exigent rien en échange de leurs services. Installés sur les places de marché ou devant les églises, ils invitent les passants à monter dans leurs véhicules, les examinent de la tête aux pieds – et ne laissent repartir la plupart d'entre eux qu'avec un diagnostic. Eté 2002 : la blanche "médicomobile de l'ostéoporose" fait ainsi sa première tournée en Allemagne, entre Hambourg et Erfurt. Les femmes de plus de soixante ans sont invitées à monter dans le véhicule pour y subir un "examen préventif approfondi" avec mesure de la densité osseuse. Il s'agit de repérer les personnes de sexe féminin souffrant d'une détérioration osseuse liée à l'âge. Or, cette chasse aux patientes n'a rien de désintéressé. Elle est en effet financée par une fondation – et par quatorze entreprises pharmaceutiques et fabricants de produits médicaux[1].

Les hommes ne sont pas en reste non plus : les employés du laboratoire Pfizer viennent à eux dans leur camion bleu et blanc, s'arrêtant dans quelque trente villes allemandes. Sur le véhicule s'étale en lettres capitales le slogan "L'homme bien portant". Télescopique, la surface du camion peut être multipliée par trois. L'engin compte cinq cabines d'examen ainsi qu'un "stand d'information". Passants et badauds sont examinés dans le camion en dix minutes : le personnel, qui a reçu une formation médicale, mesure le taux de cholestérol, la glycémie, la tension, et contrôle le poids. "Si l'homme ne vient pas au test, le test doit venir à lui", tel est le credo de Pfizer. Dans le cadre d'un important tournoi de golf, par exemple, 6 297 personnes de sexe masculin en bonne santé sont passées par la boîte à diagnostic. Résultat : la moitié des hommes examinés avaient une tension élevée et, chez 44 % d'entre eux, les analyses de sang se situaient en dehors de la norme.

La médicomobile de l'ostéoporose et le camion Pfizer apparaissent comme les précurseurs d'une médecine désireuse de pénétrer toute la société. Tels les médicastres itinérants et les charlatans du Moyen Age, les vendeurs de maladies se lancent aujourd'hui dans une véritable chasse aux patients. Et s'ils parviennent à trouver des malades partout où leur caravane passe, ce n'est qu'en raison du principe même de leur action. Les Allemands sont en bonne santé et leur espérance de vie est plus longue qu'elle ne l'a jamais été. Mais voilà : la bonne santé des Germains ne satisfait pas aux normes de la médecine moderne. Les facteurs de risque sont en effet intentionnellement fixés de manière que chaque individu puisse souffrir de quelque chose.

Pour cela, une valeur de laboratoire est tout d'abord mesurée sur un grand nombre d'individus sains, par exemple sur des donneurs de sang, des appelés ou des étudiants en sport. Une moyenne est ensuite calculée à partir des valeurs mesurées. Les 95 % du milieu sont arbitrairement définis comme "zone normale". Les 5 % constituant le peloton de tête et le peloton de queue sont alors évalués comme "déviants" – et ce, bien que les personnes sur lesquelles les mesures ont été effectuées soient en bonne santé[2]. Par ce calcul, il est ensuite possible de déclarer malade l'humanité entière : si une valeur donnée est chaque fois jugée anormale pour 5 % de la population, la part des individus déviants augmente à chaque nouvelle analyse. Si l'on procède par exemple à la mesure consécutive de vingt valeurs, seuls 36 % des individus sont encore jugés en parfaite santé. Et après cent analyses, ils sont moins de 1 %[3]. Les médecins en sont ainsi arrivés à cette conclusion ironique : un homme en bonne santé est un homme qui n'a pas ou pas suffisamment été examiné.

D'emblée, certains facteurs de risque ont d'ailleurs été fixés de façon que non plus 5 %, mais des pans entiers de la population soient touchés. Dans le cas du cholestérol, les valeurs limites ont par exemple été définies en Allemagne il y a quelques années déjà : les individus dont les valeurs sont "normales" constituent depuis une minorité, tandis que ceux dont les valeurs sont "anormales" représentent la majorité.

Mais comment en est-on arrivé là ? Il faut tout d'abord savoir qu'une étude exhaustive effectuée en Bavière sur cent mille individus a fourni une valeur moyenne de 260 milligrammes par décilitre de sang. Or, en 1990, l'Action nationale contre le cholestérol, une association d'intérêts privés regroupant treize professeurs de médecine, proposait une valeur limite de 200 milligrammes par décilitre et parvenait même à faire accepter celle-ci. Les médecins de l'Action contre le cholestérol représentaient des groupes de pression, dont la Ligue allemande de lutte contre l'hypertension, proche de l'industrie, la "Ligue lipide" ou la Société allemande de biologie médicale. Dans un "document stratégique", ils exigeaient un élargissement radical du diagnostic, arguant que "tout médecin devrait connaître le taux de cholestérol de son patient[4]".

Par le décret de médecins aux dents longues, la majorité des Allemands est ainsi devenue une population à risque. Dans le groupe des trente à trente-neuf ans, 68 % des hommes et 56 % des femmes présentent, d'après la valeur limite arbitraire, un taux de cholestérol pathologiquement élevé. Chez les sujets de cinquante à cinquante-neuf ans, ce sont 84 % des hommes et 93 % des femmes qui sont touchés.

La conséquence de telles valeurs limites frise l'absurdité : les patients déclarés à risque se sentent en effet en pleine forme et en bonne santé. Et s'ils souffrent de quelque chose, alors ce n'est que de la découverte de leur maladie. Ce qui donne entièrement raison au comique viennois Karl Kraus : le diagnostic est bien l'une des maladies les plus répandues.

UN CHECK-UP ET ÇA REPART !

Depuis 1989, il existe en Allemagne un examen médical général, communément appelé "check-up". Tout assuré de plus de trente-cinq ans a le droit de se faire ainsi examiner tous les deux ans aux frais de la caisse d'assurance maladie. Afin d'éveiller l'intérêt de la population pour ce bilan de santé, l'Union nationale des médecins conventionnés a mené au début de l'année 1991 une vaste campagne d'information dont le slogan était : "Vivre plus, vivre mieux."

A ce jour, il n'a pas encore été prouvé que le dépistage systématique des individus sains soit d'une quelconque utilité. Une seule chose est certaine : les multiples analyses qu'il représente constituent une source de revenus bienvenue chez les médecins conventionnés. Uwe Heyll, spécialiste de médecine interne à Düsseldorf, déclare : "En ce qui concerne le bilan de santé, il est à craindre que l'engagement des médecins pour cette mesure préventive soit principalement dicté par des considérations commerciales." Un article paru en 1991 dans les pages économiques de l'*Ärzte Zeitung* abonde en ce sens : "Dans l'idéal, si l'on considère qu'un cabinet compte parmi sa clientèle ne serait-ce que mille patients susceptibles de faire valoir leur droit, cela représente tous les deux ans un plus d'environ 70 000 marks* au niveau du chiffre d'affaires, c'est-à-dire 35 000 marks** par an. Avec possibilité d'augmentation si l'on effectue simultanément la prévention du cancer. Que demande le peuple[5] ?"

Deux ans après l'introduction du bilan de santé, les médecins conventionnés ont tenté de démontrer son utilité. Ils ont ainsi présenté une statistique

* Environ 36 000 euros. *(N.d.T.)*
** Environ 18 000 euros. *(N.d.T.)*

qui avait toutes les raisons de les réjouir personnellement : seules 43 % des personnes examinées lors du bilan s'en étaient sorties *sans* diagnostic, 57 % étant par conséquent retenues dans les mailles du filet médical. Evidemment, la part des patients à risque peut continuellement – ainsi que nous l'avons vu auparavant – être augmentée par l'ajout de tests supplémentaires. "Dans quelques années, mis à part les personnes qui ne participent pas au check-up, presque aucun individu ne pourra plus prétendre être en bonne santé", annonce Uwe Heyll[6].

Il y a de quoi être songeur, si l'on considère qu'aux Etats-Unis, les plus importantes associations de médecins réclament depuis longtemps déjà l'abandon du bilan de santé. Les médecins américains, estimant que celui-ci n'est d'aucune utilité pour l'individu examiné, préféreraient de beaucoup dépenser cet argent pour d'autres mesures, plus efficaces. Mais l'examen préventif ne disparaîtra pas de sitôt : les patients affectionnent cette pratique, totalement superflue d'un point de vue médical, et se révolteraient sans doute contre sa suppression[7].

ICONOLÂTRIE DE LA FEUILLE DE SOINS

Le 16 janvier 1896, le *New York Times* imprimait une photo à gros grain qui figurait les os, auréolés par les demi-teintes des tissus, d'une main de femme. L'humanité incrédule découvrait ainsi la première image radiographique. Depuis cette prise de vue du professeur de physique allemand Wilhelm Conrad

Röntgen (qui prit d'ailleurs pour modèle la main de son épouse), les images ont révolutionné la médecine. Le corps de l'être humain peut aujourd'hui être examiné jusque dans ses recoins les plus intimes. Les médecins sont ainsi en mesure de dépister – apparemment sans effort – des fractures osseuses comme des tumeurs et prévoient des opérations difficiles depuis l'écran de leur ordinateur.

Dans un grand CHU, les archives iconographiques augmentent chaque jour d'un mètre cube et, en Allemagne, ce sont 1,8 million de scanners qui sont réalisés chaque année. Cette iconolâtrie de la médecine ne peut s'expliquer par la seule poursuite de la connaissance. Car "l'iconomanie" de la médecine, ainsi que Linus S. Geisler, spécialiste des maladies internes à Gladbeck, nomme le phénomène, conduit également à un nombre colossal de conclusions erronées et de diagnostics inutiles. "Une part importante des radiographies effectuées de nos jours (…) est superflue", critiquait le Conseil pour l'action concertée en matière de santé, un comité indépendant d'experts qui conseillent le ministère de la Santé. Chez les patients qui souffrent du dos, les procédés d'imagerie médicale sont par exemple utilisés à tort et à travers, tandis que certains de nos contemporains disposent d'une centaine de radiographies, lesquelles s'amoncellent notamment au cours des dernières années de la vie.

En s'appuyant sur des images toujours plus précises, le médecin identifie des maladies qui ne portent aucunement à conséquence sur l'espérance de vie du patient. A Leipzig, le neurologue Frithjof Kruggerl, de l'institut Max-Planck pour la recherche neuropsychologique, déclare ainsi : "On trouve maintenant des choses que l'on ne découvrait autrefois que sur la table d'autopsie[8]."

L'INVASION DES TOMODENSITOMÈTRES

La radiologie connaît actuellement un essor considérable aux Etats-Unis. Plus d'une centaine de centres se sont établis à travers tout le pays, dans lesquels des individus bien portants soumettent leur corps tout entier aux techniques exploratoires – de manière purement préventive. En l'espace de dix minutes, les scanners (ou tomodensitomètres) délivrent des radios en trois dimensions, dévoilant ainsi l'intérieur du corps du patient ; la procédure est sans douleur, bien qu'exposant à une faible irradiation due aux rayons X.

Le médecin à la recherche d'une maladie quelconque peut alors passer au peigne fin la pile d'images : depuis le haut du crâne jusqu'à la plante des pieds, le corps du client a été balayé en "tranches" et apparaît sur son écran. Certains scanners, dont le prix s'élève à 2 millions de dollars, sont même installés dans des centres commerciaux. En Californie, les scanners pour corps entier, embarqués dans d'énormes camions, ont fait la tournée des villes et communes, en quête de malades imaginaires ou d'angoissés bien portants. "Je veux voir mon fils grandir", déclare ainsi William Shuford. A Orlando (Floride), cet entrepreneur du bâtiment, un homme en excellente santé, s'est allongé dans l'un des scanners de l'entreprise BodyScan pour la modeste somme de 800 dollars.

Quant à savoir si le scanner est d'un quelconque intérêt pour M. Shuford, il manque pour cela la plus petite preuve scientifique. Une conclusion de bon augure n'offre en effet aucune garantie sur ce qui peut se produire après l'examen : une tumeur peut proliférer, le cœur s'arrêter ou une artère se boucher. En revanche, ce dont la personne allongée dans un scanner sera surtout dépouillée, c'est de l'agréable sensation de se sentir en bonne santé – car chez presque tous les individus soumis à l'examen, les scanners détectent au moins un petit quelque chose, le plus souvent sans conséquence. Une ombre sur le poumon, par exemple, peut être la trace bénigne d'une pneumonie ancienne – mais le patient ne le saura qu'en acceptant de se soumettre à des examens complémentaires. C'est pourquoi l'Association des radiologues américains conteste l'utilisation de *bodyscans* pour des individus ne présentant aucun symptôme. Pour le radiologue James Borgstede, "les scanners peuvent être à l'origine de coûts et d'inquiétudes inutiles. Ils risquent en outre de transmettre une notion erronée de la sécurité[9]."

Le cerveau humain est lui aussi exploré dans ses moindres recoins. Grâce à la résonance magnétique nucléaire, les médecins espèrent pouvoir reconnaître, dès les premiers stades de la maladie, la schizophrénie, l'alzheimer et d'autres pathologies de l'organe pensant. D'après Dennis Selkoe, de la Harvard Medical School, d'ici à une dizaine d'années, les médecins évalueront au scanner la santé cérébrale d'un individu aussi simplement qu'ils déterminent aujourd'hui le taux de cholestérol.

Pour l'industrie médicale, le diagnostic est à la fois fondement commercial et premier maillon de la chaîne de création de biens. Un individu en bonne santé ruinerait ce système – il faut donc lui attacher un diagnostic. En Allemagne, des organisations telles que la Ligue contre l'hypertension, soutenue par l'industrie, ou encore l'Association fédérale des cardiologues cliniciens appellent sans cesse la population à s'en remettre à la prévention. Les examens qui sont ainsi pratiqués transforment des millions d'individus sains en malades de laboratoire.

Il ne fait aucun doute que le diagnostic est un outil indispensable à la médecine. Il est nécessaire au médecin, auquel il permet d'appréhender systématiquement le chaos des maladies. Ce n'est en effet que lorsqu'il identifie le mal que le médecin peut mettre en pratique son expérience, consulter des ouvrages spécialisés et communiquer avec ses confrères. Les diagnostics informent les patients tout en indiquant aux cliniciens de quelle manière traiter telle personne.

Oui, mais voilà : de plus en plus fréquemment, des individus bien portants se retrouvent affublés d'un diagnostic dès lors qu'ils pénètrent dans une salle d'examen. Pour la moitié des personnes qui consultent leur médecin traitant, aucune maladie organique ne peut être attestée, ce qui cependant ne satisfait pas aux exigences du système de santé : les formulaires des assurances, des caisses de maladie ou des organismes de retraite exigent en effet qu'un diagnostic soit mentionné. Le médecin lui-même ne peut examiner un patient sans se décider ensuite pour un diagnostic, celui-ci devant en Allemagne figurer sur la feuille de soins.

Il arrive donc souvent que les diagnostics ne soient rien d'autre que "du pipeau". Les médecins construisent ainsi de toutes pièces des maladies qui "ne s'appuient que sur les symptômes décrits par le patient, constate Uwe Heyll, de l'université de Düsseldorf. Un pareil diagnostic est évidemment plutôt de l'ordre de la spéculation, mais il est suffisant pour remplir sa fonction" – c'est-à-dire pour satisfaire le patient et le médecin, ainsi que les entreprises du médicament, si tant est qu'elles disposent d'un petit remède contre ces maux imaginaires.

Les médecins dissimulent alors leur ignorance derrière des noms de maladies issus du grec ou du latin. La "céphalée coïtale", par exemple, n'est rien d'autre qu'un mal de tête apparaissant lors de rapports sexuels, tandis que des douleurs fugaces au niveau de l'anus sont appelées "proctalgie essentielle" dans un langage scientifique fleuri. De la même manière, "le saignement de nez devient une épistaxis, les règles abondantes un cas de ménorragie, un bleu se transforme en ecchymose et une tête couverte de poux en *pediculosis capitis*", ironisent les médecins britanniques Petr Skrabanek et James McCormick[10].

Souvent, des variantes anatomiques sont appelées en renfort pour expliquer des maux relevant du domaine psychique. Uwe Heyll remarque à ce sujet : "Un kyste rénal est ainsi accusé de causer des douleurs latérales, des modifications minimes des vertèbres cervicales sont censées être à l'origine de maux de tête ou de vertiges, un calcul biliaire découvert par hasard explique des douleurs dorso-lombaires, un myome utérin est la cause de douleurs abdominales, un rein flottant provoque des troubles urinaires, un minuscule polype intestinal se voit attribuer la responsabilité de problèmes digestifs et un léger renflement de la glande thyroïde est à l'origine d'un état de nervosité. Evidemment, aucune des modifications organiques citées n'a valeur de maladie. Mais, en l'absence d'explications plus convaincantes, elles sont toutefois déclarées comme étant à l'origine des troubles[11]."

Les diagnostics concernant des phénomènes inexpliqués devraient d'ailleurs être choisis de manière à plaire au patient concerné – c'est du moins ce que recommandent des médecins d'Edimbourg, en Ecosse. Lors d'une étude portant sur quatre-vingt-six participants, ils ont analysé la réaction des individus face à différentes "étiquettes". Lorsque le médecin explique aux patients que leur maladie est "imaginaire", "hystérique", "inexplicable d'un point de vue médical", "psychosomatique" ou "liée au stress", la plupart des participants ont le sentiment de n'être pas pris au sérieux. L'adjectif "fonctionnel", vide de sens, leur donne en revanche satisfaction. Les médecins écossais réclament par conséquent "la réhabilitation de l'adjectif «fonctionnel» comme diagnostic utile et satisfaisant dans le cas de symptômes physiques ne pouvant être expliqués par la présence de maladies[12]".

Le code de déontologie du corps médical exige lui aussi qu'un diagnostic soit fait. Un médecin dont le diagnostic, rare, s'avère exact reçoit les honneurs de la profession. S'il établit un diagnostic alors que le mal est inexistant, il commet, certes, un faux pas, mais sera considéré comme prudent. Ne pas voir une véritable maladie constitue en revanche une erreur impardonnable. Les médecins Petr Skrabanek et James McCormick ont ainsi comparé les conséquences des différentes erreurs[13] :

L'erreur de type 1 (pas de maladie, mais un diagnostic) *et ses conséquences*

1. Un individu en bonne santé est transformé en patient et soumis à des examens complémentaires aussi inutiles que risqués.
2. L'individu concerné ne porte plus un regard objectif sur sa santé et est encouragé à se glisser dans la peau d'un malade.
3. Le médecin est en sécurité. Le risque que des poursuites judiciaires soient intentées contre lui pour faute professionnelle est nul. Il n'a pas à craindre une plainte pour "diagnostic superfétatoire".
4. Il est rare et difficile de corriger une erreur de type 1.

L'erreur de type 2 (une maladie, mais pas de diagnostic établi) *et ses conséquences*

1. Pour avoir été négligent et avoir failli dans l'identification d'une maladie, le médecin risque une procédure juridique portant à conséquence.
2. Ses confrères le jugeront pour cette erreur et le mépriseront.
3. Le médecin peut néanmoins corriger cette erreur (et donc la dissimuler) si la maladie se déclare ultérieurement de façon plus nette : il peut alors établir son diagnostic *a posteriori*.

Les personnes touchées considéreront sans doute que l'erreur de type 1 est de moindre gravité. Certains individus sains languissent même de recevoir un diagnostic, ce dernier étant en effet considéré comme un privilège : il autorise à être malade et offre quelques avantages, tels que la mise à la retraite anticipée. La sensation personnelle de bien-être peut également être augmentée par l'intermédiaire d'un diagnostic. Une étude a ainsi comparé des consultations "positives" et des consultations "négatives". Pendant les consultations "positives", un diagnostic clair était fourni aux individus-tests ainsi que l'assurance d'être bientôt guéris. Pendant les consultations "négatives", en revanche, le médecin expliquait aux patients qu'il ne pouvait dire avec certitude quel était leur problème. Résultat : les individus que le médecin avait clairement déclarés malades étaient plus satisfaits. Après une consultation "positive", 64 % des patients se sentaient mieux. Dans le cas d'une consultation "négative", ils n'étaient plus que 39 %.

Impudemment, on invente ainsi des maux et des épidémies qui en réalité n'existent pas : les non-maladies. Tandis que la plupart des associations médicales nient publiquement l'existence de ce phénomène, beaucoup de médecins se demandent quels symptômes, parmi l'avalanche de nouveaux tableaux cliniques, sont réellement justifiés, et comment les aborder.

Devant l'augmentation des maux imaginaires et la difficulté croissante à se repérer, le *British Medical Journal* s'est proposé de déterminer les vingt non-maladies les plus courantes en procédant à un sondage auprès de ses lecteurs, médecins pour la plupart. Les rédacteurs du journal ont tout d'abord défini la non-maladie comme "un processus ou un problème apparaissant chez un individu et que certains jugent parfois pertinent médicalement, en dépit du fait que l'individu se porterait sans doute mieux sans ce jugement".

Les médecins ont alors fait preuve d'une imagination débordante : près de deux cents états de santé furent désignés comme des non-maladies. Les uns ont déjà été acceptés dans les systèmes officiels de classification médicale, les autres pourraient bien l'être un jour.

Hit-parade des non-maladies[14]

1. la vieillesse
2. le travail
3. l'ennui
4. les cernes
5. l'ignorance
6. la calvitie
7. les taches de rousseur
8. les oreilles décollées
9. les cheveux blancs ou gris
10. la laideur
11. la naissance
12. l'allergie au XXIe siècle
13. le décalage horaire
14. le chagrin
15. la peau d'orange
16. la gueule de bois
17. l'angoisse / la jalousie liée à la taille du pénis
18. la grossesse
19. l'irascibilité au volant
20. la solitude.

La discussion qui s'est alors engagée entre les lecteurs est plus significative encore que ce hit-parade : dans des e-mails envoyés par centaines, ils se disputaient pour savoir s'il convenait de considérer à présent comme maladies le syndrome de fatigue chronique, le taux de cholestérol élevé, le complexe d'Œdipe, le deuil, le surpoids, les ballonnements chez le nourrisson ou l'ostéoporose. Le novice en médecine ne peut que s'étonner de voir combien le corps médical est divisé devant la question élémentaire de savoir quelles sont les difficultés de la vie qui doivent être traitées médicalement. C'est précisément ce sentiment désagréable – ainsi qu'une bonne dose de scepticisme – que Richard Smith, rédacteur en chef du *British Medical Journal*, voulait provoquer en lançant cette action car, pour reprendre ses mots, "il n'y a rien à perdre et tout à gagner à aiguiser la conscience de chacun sur le caractère équivoque du concept de maladie".

QUAND LES APPRENTIS SORCIERS S'ACHARNENT SUR LES CAPRICES DE LA NATURE

Toutes les spécialités de la médecine présentent des cas de non-maladies. Certains enfants naissent par exemple avec une adduction de l'avant-pied, une déviation du pied vers l'intérieur que l'on appelle *pes adductus*. Bien des orthopédistes tentent alors de remédier à ce caprice de la nature par des massages, des bandages et des plâtres ; certains même opèrent. Chez 96 enfants sur 100, le *pes adductus* disparaît pourtant spontanément avant l'âge de trois ans, ainsi que l'ont découvert des chercheurs américains. Chez les 4 % restants, cette légère malformation n'entraîne aucun traumatisme ultérieur.

Le *pes adductus* n'est pas le seul phénomène qui disparaît avec le temps et que l'on tente pourtant consciencieusement de guérir à tout prix. Certains jeunes gens marchent plus longtemps que leurs camarades avec les jambes tournées vers l'intérieur, ce qui est jugé normal chez les enfants en bas âge. Mais certains médecins, présumant que cette position sollicitait de manière excessive les articulations des hanches, inventèrent séance tenante un nom pour ce mal supposé, baptisé ainsi "déformation préarthrosique". Celle-ci était censée provoquer à court terme et de manière inévitable une arthrose, c'est-à-dire une altération destructive de l'articulation. Pour y remédier, les médecins se mirent donc vers la fin des années 1960 à radiographier les fémurs d'une génération tout entière et à opérer le cas échéant. L'intervention devait permettre d'amener la cuisse dans une position plus favorable par rapport à l'articulation de la hanche. "Certains orthopédistes étaient quasiment obsédés par cette opération", se souvient Lutz Jani, de la clinique orthopédique universitaire de Mannheim.

Ce n'est qu'une décennie après le début de cette frénésie opératoire que les premières critiques se firent entendre. A la fin des années 1970, Lutz Jani publia des résultats impressionnants, démontrant que la déformation préarthrosique disparaît d'elle-même dans presque tous les cas. Il fallut toutefois attendre une nouvelle décennie pour que ce constat mette enfin un frein à l'enthousiasme opératoire des orthopédistes[15].

Parmi les non-maladies les plus prisées chez l'enfant, on compte également l'hypertrophie des polypes et des amygdales, qui doivent alors être enlevés lors d'une opération. En 1930, 60 % des enfants âgés de onze ans avaient par exemple déjà subi une ablation des amygdales, ainsi que l'illustre une étude menée à New York sur mille écoliers. Les 40 % restants furent également examinés – dans un cas sur deux, le médecin voulait enlever les amygdales. A la suite d'un nouvel examen, il ne resta plus que soixante-cinq écoliers jugés en bonne santé. Un autre examen des enfants n'eut pas lieu, le nombre de médecins spécialistes disponibles n'étant plus suffisant[16].

Le nombre de maladies supposées s'élève aujourd'hui à trente mille variantes, auxquelles s'ajoutent chaque jour de nouveaux maux. Récemment, la chercheuse britannique Tamara King a par exemple interrogé cinq cent trente femmes, puis s'est empressée de décrire une maladie baptisée "boulimie de shopping". En serait atteinte toute personne achetant des vêtements de créateurs et les rapportant ensuite à la boutique pour les échanger après les avoir portés une fois.

LES MALADIES FONT CARRIÈRE

Le médecin anglais Thomas Sydenham (1624-1689) supposait qu'une maladie pouvait, comme une plante ou un animal, être découverte et déterminée. En d'autres termes : les maladies apparaîtraient dans la nature indépendamment de l'observateur et attendraient patiemment qu'un médecin les y découvre. La réalité est toutefois bien moins romantique. Il arrive en effet souvent que l'on construise une maladie, son existence étant décidée par des experts autoproclamés. L'exemple de l'homosexualité montre ainsi à quel point le concept de maladie est arbitraire. L'attirance pour une personne de même sexe fut tout d'abord considérée par les neurologues comme un état pathologique nécessitant d'être traité. Il fallut attendre 1974 pour que les membres de l'American Psychiatric Association décident par un vote que l'homosexualité ne constituait plus dorénavant une maladie. Des millions d'individus furent ainsi "guéris" du jour au lendemain. De nombreuses affections ne sont donc ni biologiques, ni psychologiques, mais constituent des phénomènes exclusivement créés par l'homme – leur nombre étant alors quasi illimité.

La naissance d'une maladie commence souvent par l'observation d'un médecin à qui est apparu un phénomène notable. Dans un premier temps, seuls peu de médecins sont convaincus de l'existence de ce nouveau syndrome. Un nombre raisonnable de partisans se rencontre lors d'un congrès et élit un comité chargé de publier un recueil de travaux pour faire connaître le syndrome et susciter un intérêt. Le nouveau phénomène retient ainsi l'attention d'autres médecins, qui cherchent des patients dont les symptômes pourraient correspondre. Cette appréhension sélective du phénomène peut d'ores et déjà déclencher une petite épidémie. De nombreux articles et comptes rendus de recherches font ensuite naître auprès de l'opinion publique le sentiment que les médecins ont bel et bien découvert une maladie. Les scientifiques publient leurs conclusions dans une revue spécialisée qu'ils ont eux-mêmes fondée – les articles critiques n'y sont pas publiés.

Seules les indications favorables à l'existence d'une nouvelle affection sont alors collectées. Une recherche ciblée d'indications contraires n'a pas lieu. L'échange d'affirmations et de certitudes conduit finalement, chez les médecins et les scientifiques, à la conclusion erronée selon laquelle une maladie aurait réellement été découverte. Les personnes souffrant du supposé syndrome accélèrent elles aussi la propagation de l'information. Elles fondent des groupes d'entraide et informent l'opinion publique de leur problème. Des comptes rendus sont diffusés dans les médias, ce qui augmente encore le nombre de prétendus patients. A partir de là, c'est le monde à l'envers. Bien que l'existence du syndrome soit aussi douteuse qu'auparavant, le diagnostic comme le traitement se sont en revanche établis au sein du corps médical et dans la conscience collective.

L'invention de nouveaux maux "est révélatrice de l'effort que font les médecins pour trouver un diagnostic adapté à chaque patient", constate Uwe Heyll, médecin à Düsseldorf. Des maux de ventre sont ainsi déguisés en "syndrome du côlon irritable", des douleurs dans la poitrine consécutives à l'effort deviennent un syndrome d'effort, un état de fatigue se transforme en syndrome de fatigue chronique et des douleurs généralisées en un mystérieux rhumatisme des parties molles, appelé "fibromyalgie". Dans ce dernier cas, observé presque exclusivement chez les individus de sexe féminin, aucune modification notable des muscles et des tendons n'a été remarquée, contrairement à ce que le nom pourrait laisser penser (*fibra* – latin : "fibre" ; *myos* – grec : "muscle" ; et *algos* – grec : "douleur").

A CHAQUE COMPRIMÉ SA MALADIE
ET A CHAQUE MALADIE SON COMPRIMÉ

Ces non-maladies évolueront-elles ou non vers de véritables épidémies ? Seule l'industrie pharmaceutique en décidera. Car ce n'est que lorsqu'une entreprise a trouvé un remède contre un trouble supposé que ce dernier est systématiquement grossi et présenté comme une menace. L'"industrie pharmaceutique joue alors un rôle décisif dans la médicalisation, commente David Gilbert, expert de la santé à Londres. Dès qu'un traitement est disponible, les campagnes de l'industrie tentent de redéfinir le trouble dans l'esprit des médecins et des patients potentiels." Les prétendus problèmes de santé sont alors présentés comme une maladie que les produits pharmaceutiques sont les mieux à même de traiter[17].

Beaucoup de gens sont sensibles à ce type de stratégie. Qu'il s'agisse de calvitie, de mauvaise humeur ou d'obésité, dès lors que la médecine moderne leur fait croire que leur problème est d'origine biologique et qu'il est possible de le traiter, une étonnante transformation s'amorce : leur désir d'être plus heureux ou leur inquiétude face à la calvitie devient soudain un problème médical à part entière.

IV

LA FOIRE AUX RISQUES

Bien souvent, les gens n'ont même pas conscience de la tare qu'on tente de leur attribuer. Cela vaut notamment pour le taux de cholestérol, la tension artérielle ou la densité osseuse. Ces valeurs varient avec l'âge et leur influence sur la santé d'un individu est difficilement prévisible. Certes, réduire l'hypertension permet de diminuer le risque d'infarctus et d'attaque cérébrale. Mais chez la plupart des sujets, l'effet est moindre, et les marchands de santé vendent sur ce créneau de nouveaux médicaments dont l'action curative n'est même pas prouvée[1].

Certains médecins et laboratoires pharmaceutiques présentent en outre systématiquement ces facteurs de risque comme des maladies propres. En Allemagne, des actions de grande envergure – apparemment indépendantes, mais en réalité toutes sponsorisées par l'industrie – ont été lancées à cet effet. Les valeurs limites qui sont ainsi mises en avant sont arbitraires et ne correspondent pas aux frontières fluctuantes de la biologie. Déjà en son temps, Johann Wolfgang von Goethe critiquait une telle façon de penser : "La mesure des choses, écrivait-il, est une entreprise approximative qui ne peut être appliquée à des corps vivants que de manière extrêmement imparfaite."

Si la plupart des valeurs de mesure sont ainsi élevées au rang de facteurs de risque, pressent Uwe Heyll, c'est uniquement parce qu'elles permettent aux médecins d'établir un diagnostic en toute tranquillité et de façon apparemment objective. "On se demande pourquoi l'hypertension et le cholestérol ont été justement désignés comme facteurs de risques médicaux, note le médecin. La réponse est simple : parce qu'ils sont faciles à mesurer. Il suffit d'un manchon gonflable et d'un stéthoscope pour dépister l'hypertension, et déterminer le taux de cholestérol est l'une des analyses de laboratoire les plus simples qui soient[2]."

LE MYTHE DU MAUVAIS CHOLESTÉROL

L'intérêt pour le taux de cholestérol est une occupation largement répandue, que certains médecins et certaines entreprises encouragent vivement, pour la bonne raison qu'ils ont des milliards à y gagner. L'Association fédérale des cardiologues cliniciens, le fabricant de margarine Becel, le groupe pharmaceutique Pfizer ou l'entreprise Roche Diagnostics lancent ainsi régulièrement des "actions de santé" dans le but d'inciter la population à faire tester son taux de cholestérol. Une brochure disponible en pharmacie explique par exemple que "chacun devrait, dès l'âge de trente ans, connaître son taux de cholestérol et le faire contrôler tous les deux ans". Partout l'on scande qu'un taux de cholestérol élevé est "l'un des facteurs de risque les plus importants" responsables des maladies cardiovasculaires. Le *Neue Apotheken Illustrierte*, une revue distribuée en pharmacie, désigne quant à lui le cholestérol comme une "bombe à retardement pour la santé".

La substance graisseuse est pourtant l'un des composants vitaux du corps humain, notamment utilisé en grande quantité par le cerveau : l'organe de la pensée est ainsi constitué de 10 à 20 % de cholestérol (rapporté à la matière sèche). La plupart des cellules du corps humain sont capables de fabriquer cette substance quand l'alimentation n'en fournit pas suffisamment. Heureusement – car sans la molécule diabolisée, les cellules seraient détruites. Et pourtant, la seule évocation du mot "cholestérol" déclenche chez bien des gens d'angoissantes visions d'arrêt cardiaque. Cette menace gâche à plus d'un l'œuf du petit-déjeuner ou le beurre sur la tartine, et beaucoup ne peuvent mordre dans une saucisse sans un sentiment de malaise. Rien qu'en 2001, plus d'un million d'individus, poussés par la mauvaise conscience, ont fait mesurer leur taux de cholestérol dans le cadre de l'"action de santé". Comme l'on pouvait s'y attendre, plus de la moitié des candidats dépassaient la limite arbitraire de 200 milligrammes par décilitre.

Les médecins et entreprises qui participent à cette action sanitaire profitent directement de la situation : Roche Diagnostics fabrique des appareils permettant de mesurer le taux de cholestérol et les cardiologues prennent en charge de nouveaux patients, à qui ils déconseillent de manger du beurre – ce qui rend service au fabricant de margarine Becel. Pfizer, enfin, gagne des milliards dans le monde entier grâce à des médicaments qui diminuent le taux de cholestérol. Une telle campagne médicale, qui colle l'étiquette de patient à la majorité des individus, a rarement été menée avec autant d'énergie et un tel déploiement de stratégies marketing.

Un comité de la Société cardiologique américaine exige même que le taux de cholestérol soit mesuré chez l'enfant dès l'âge de cinq ans. Mieux encore : le médecin devrait, avant même la naissance ou immédiatement après celle-ci, déterminer le risque de maladies cardiaques de l'enfant ainsi que les habitudes tabagiques de la famille. Dès le passage aux aliments solides, il conviendrait, selon les recommandations de ces médecins, d'inciter les parents à servir à leur progéniture une alimentation pauvre en graisse. La tension artérielle devrait en outre être surveillée dès l'âge de trois ans[3].

Ce type de tests précoces ne permet cependant pas de tirer quelque conclusion que ce soit concernant l'évolution ultérieure de la santé du sujet. "Le dépistage des enfants, y compris des 25 % dont les familles présentent des taux de cholestérol élevés et des affections cardiaques, est une dépense inutile, vraisemblablement plus néfaste qu'efficace", estime Thomas B. Newmann, épidémiologiste à l'université de Californie, à San Francisco[4].

Si l'on prenait au sérieux les conseils de prévention, il faudrait d'ailleurs priver les nourrissons du lait maternel, car celui-ci est un véritable concentré de cholestérol. Or, les bébés nourris au sein se développent particulièrement bien, ce qui n'a rien d'étonnant : le cholestérol présent en grande quantité dans le lait maternel est en effet indispensable à la constitution des cellules nerveuses et du cerveau.

L'impression générée par les grands programmes d'éducation, qui présentent la théorie du cholestérol comme une connaissance avérée de la médecine, est bien trompeuse. Pour beaucoup de médecins, le cholestérol ne jouerait pas vraiment le rôle du méchant dans le drame de l'infarctus. En 1990, à peine la limite douteuse de 200 milligrammes par litre avait-elle été fixée que des experts, tel le cardiologue Harald Klepzig, de la Fondation de cardiologie de Francfort-sur-le-Main, s'en distanciaient déjà. Au beau milieu de l'hystérie du cholestérol, celui-ci déclarait : "Nous serions ravis que puisse être présentée une seule étude médicale contrôlée démontrant que des vies humaines peuvent être sauvées en diminuant le cholestérol. Il n'est en revanche pas bien difficile de trouver dix études montrant que la baisse des graisses s'accompagne bien plutôt d'un taux de mortalité supérieur[5]."

Et Paul Rosch, président de l'American Institute of Stress et professeur de médecine au New York Medical College, de commenter : "Le lavage de cerveau de l'opinion publique a si bien fonctionné que beaucoup de gens sont persuadés que plus leur taux de cholestérol est bas, plus ils sont en bonne santé ou plus ils seront susceptibles de vivre longtemps. Rien n'est moins vrai."

Car la théorie du mauvais cholestérol ne s'appuie aucunement sur des preuves, mais uniquement sur des indices – et beaucoup de ces derniers ne résistent pas à une vérification sérieuse. En 1953, le chercheur Ancel Keys, de l'université du Minnesota, publiait par exemple un article qui devait devenir le mythe fondateur de la théorie du cholestérol. Il présentait dans son étude un diagramme qui insinuait pour six pays une relation univoque entre la consommation de graisses et les décès dus à des maladies coronariennes. "La courbe ne permet presque aucun doute sur le lien existant entre la teneur en graisse de l'alimentation et le risque de mourir d'une maladie coronarienne", commentait à l'époque la revue médicale *The Lancet*.

Aussi impressionnant que soit le tracé de la courbe, il repose indéniablement sur une imperfection – et pas des moindres. Keys n'a en effet tenu compte que des données concernant six pays – et ce, alors que des chiffres provenant de vingt-deux pays étaient disponibles. Or, si l'on intègre ces données, la concomitance entre la consommation de graisses et l'arrêt cardiaque disparaît. Si Keys "avait réuni tous les pays, c'en était fini de la jolie courbe, déclare le médecin suédois Uffe Ravnskov. La mortalité par maladie du cœur était par exemple trois fois plus élevée aux Etats-Unis qu'en Norvège, alors que la consommation de graisses est à peu près équivalente dans les deux pays[6]."

Les esprits critiques tels qu'Uffe Ravnskov ne nient en aucun cas le fait qu'un lien entre le taux de graisse dans le sang et les affections coronariennes existe. 0,2 % de la population souffre par exemple d'hypercholestérolémie familiale : les personnes atteintes de cette maladie génétique disposent d'un nombre réduit de récepteurs du cholestérol intacts. Par conséquent, le cholestérol n'est que difficilement transporté par le sang vers les cellules du corps, ce qui fait augmenter son taux. Les valeurs se situent entre 350 et 1 000 milligrammes par décilitre. Le risque pour ces personnes de mourir précocement d'un infarctus est accru, car elles sont plus souvent touchées par une forme grave d'artério-sclérose. Reste toutefois à savoir si cette maladie peut être comparée à une véritable artériosclérose. Des autopsies pratiquées sur des sujets ayant souf-fert d'hypercholestérolémie familiale ont en effet montré que le cholestérol ne se dépose pas seule-ment dans les vaisseaux, mais dans tout le corps. "Beaucoup d'organes sont bel et bien imbibés de cholestérol", déclare Uffe Ravnskov. Par conséquent, appliquer le lien entre cholestérol et artériosclérose à des individus dont le taux de cholestérol est nor-mal est une erreur.

Dans le cas de personnes âgées, le passage à une alimentation pauvre en graisses, vivement re-commandé par certains médecins pour les patients à risque, peut même représenter un danger. L'ali-mentation du troisième âge serait en effet déjà "suffisamment contrariée par le port de dentiers, la constipation, la perte d'appétit et l'impossibilité à digérer certains plats", met en garde le médecin américain Bernard Lown. Cardiologue renommé, celui-ci a reçu le prix Nobel de la paix en 1985 pour son action au sein de l'association International Physicians for the Prevention of Nuclear War. Au cours de sa carrière de clinicien, Bernard Lown se trouva un jour face à une patiente très âgée qui avait brutalement maigri et décliné en tentant de faire baisser son taux de cholestérol. Le médecin mit fin à cette folie dangereuse en lui conseillant "d'ignorer tous les conseils des médecins et de manger ce qui bon lui semblait. En six mois, la patiente avait retrouvé son poids d'origine ainsi que son caractère dynamique et optimiste[7]." Preuve que ce cholestérol que l'on diabolise tant nous est en réalité indispensable, du plus jeune âge jusqu'à nos vieux jours.

LA SAGA DE LA STATINE

Les dénommées statines ralentissent dans l'organisme la formation de l'acide mévalonique, nécessaire à la synthèse du cholestérol. Les cellules du corps s'approvisionnent ainsi de manière renforcée en cholestérol présent dans la nourriture et le taux de ce dernier dans le sang diminue alors. Cette propriété fait de la statine un médicament idéal – pour l'industrie pharmaceutique. La cible est en effet de taille : elle correspond à cette fameuse majorité de la population dont les valeurs de cholestérol ont été jugées trop élevées et pour laquelle on estime par conséquent qu'un traitement est nécessaire. Dans la mesure où ces individus ne souffrent de rien d'autre, ils vivent assez longtemps pour prendre de la statine pendant des décennies, et ce, quotidiennement. Et, en effet, les médicaments anticholestérol se sont révélés être de véritables mines d'or sur le marché, d'autant plus qu'ils sont protégés par un brevet et ne se vendent qu'à des prix élevés (entre 1 et 2 euros environ par dose quotidienne). Avec sa statine Lipitor*, l'entreprise Pfizer est en passe de réaliser un chiffre d'affaires annuel de 10 milliards de dollars – ce qui représente d'ores et déjà le plus grand best-seller pharmaceutique de tous les temps. Son concurrent direct, Zocor**, produit par Merck

* Commercialisée en France sous le nom de Tahor. *(N.d.T.)*
** Commercialisé en France sous le nom de Lodales. *(N.d.T.)*

& Co., atteint la somme à peine moins impressionnante de 7,5 milliards de dollars. Aux Etats-Unis, 5,4 % de la population adulte est sous statine, et l'on compte à travers le monde 44 millions de consommateurs.

Au cours de l'été 2002, une étude strictement contrôlée, menée pendant cinq ans sur une population de 20 500 individus, a néanmoins conclu que ce traitement était non seulement coûteux, mais encore d'une utilité toute relative. D'après la Heart Protection Study réalisée en Grande-Bretagne, la prise quotidienne de 40 milligrammes de Zocor permet de réduire de 24 % la fréquence des maladies vasculaires et de leurs conséquences telles que l'infarctus, l'attaque cérébrale ou l'amputation. Par rapport à un groupe de contrôle qui ne prenait pas de statine, le nombre de décès est passé de 14,7 à 12,9 %.

En chiffres absolus, ces résultats peuvent être exprimés comme suit : si 1 000 individus présentant un risque d'affection vasculaire prenaient de la statine chaque jour pendant cinq ans, il serait possible d'éviter le recours à une intervention médicale sur le système vasculaire pour 70 à 100 d'entre eux. Le nombre de décès pourrait être réduit à 25. Si l'on traitait 10 millions d'individus menacés, il serait possible d'éviter 50 000 décès liés à des accidents cardiovasculaires. La dose quotidienne de 40 milligrammes de statine valant environ 2 euros, cela représenterait pour le système de santé une dépense de 7 milliards d'euros[8].

Mais voilà : le cholestérol lui-même ne joue absolument aucun rôle en tant que facteur de risque, ainsi que le révèle la Heart Protection Study. La prise quotidienne de statine s'est en effet avérée avoir une action positive – mais sur tous les sujets de l'étude, y compris sur ceux dont le taux de cholestérol était bas. En d'autres termes, ce n'est pas la baisse du taux de cholestérol qui joue un rôle protecteur, mais bien plutôt l'action des statines : celles-ci stabilisent vraisemblablement les parois des vaisseaux et freinent les infections. Au vu de ces résultats étonnants, le dosage du cholestérol apparaît plus absurde que jamais. Pour Charles George, médecin directeur de la Fondation de cardiologie du Royaume-Uni, "le message univoque de cette étude est qu'il faut traiter les risques et non le taux de cholestérol" !

LA CHASSE A L'HYPERTENSION ARTÉRIELLE

Déterminer la tension artérielle est sans doute la mesure la plus couramment pratiquée en médecine – et l'occasion la plus fréquente d'ordonner une prise en charge de longue durée pour des individus bien portants. Tout commence par une procédure indolore et qui ne dure pas deux minutes : la pression sous laquelle le cœur envoie le sang dans le corps est mesurée à l'aide d'un manchon gonflable que l'on installe autour du bras. Il faut savoir que la pression émanant du cœur n'est pas constante. Elle atteint son plus haut point lorsque le ventricule gauche se contracte et chasse le sang dans les artères. A cet instant est mesurée la pression systolique. La vague de pression générée permet la circulation du sang pendant le relâchement du cœur, la pression chutant alors à son point le plus bas : c'est la pression diastolique. Les valeurs sont exprimées en "mmHg" (millimètres de mercure).

Certes, une tension artérielle élevée est considérée comme l'un des facteurs de risque majeurs de la sclérose des vaisseaux (artériosclérose) et de ses conséquences (infarctus, accident vasculaire, insuffisance rénale). Mais le corps médical ne s'est toujours pas mis d'accord sur la valeur à partir de laquelle un individu doit être traité. En Allemagne, dans les années 1990, des valeurs de l'ordre de 160/100 (en langage courant : 16/10) étaient jugées comme nécessitant un traitement : le pays comptait donc environ sept millions d'individus souffrant d'hypertension. La Ligue allemande de lutte contre l'hypertension, une association d'intérêts fondée en 1974 et qui regroupe des médecins et des laboratoires pharmaceutiques, préconisa ensuite une nouvelle valeur limite : 14/9 – du jour au lendemain, le nombre d'individus touchés par la maladie avait triplé. Par un tour de passe-passe, une union privée a ainsi su transformer l'hypertension en un véritable problème de santé publique[9]. Or, dans le comité cotisant de la Ligue contre l'hypertension, on trouvait vingt membres, tous employés par des entreprises pharmaceutiques[10]. D'après les renseignements du porte-parole de la Ligue, Eckhart Böttcher-Bühler, "les laboratoires nous achètent des plaquettes d'information sur l'hypertension et les distribuent aux gens par l'intermédiaire de leurs représentants".

Dans plus de 90 % des cas, les médecins ne trouvent aucune raison à l'hypertension et parlent alors d'hypertension "essentielle" ou "primaire" – ce qui voile leur ignorance et fait bon effet auprès du patient. Bien que le phénomène inexplicable ne constitue – dans le "meilleur" des cas – qu'un facteur de risque, les médecins et les laboratoires pharmaceutiques l'ont élevé au rang de maladie, une maladie dont la légitimité n'est assurée que par elle-même. On peut ainsi lire dans *Druckpunkt*, la revue éditée par la Ligue contre l'hypertension à l'intention des patients : "L'hypertension est dite essentielle ou primaire lorsqu'elle apparaît comme maladie autonome et n'est pas seulement une conséquence ou un symptôme liés à une autre maladie. L'élévation de la pression artérielle est donc la caractéristique essentielle de cette maladie[11]."

Certaines personnes éprouvent déjà un certain malaise rien qu'à la vue d'un médecin en blouse blanche, et la nervosité fait grimper leur pression artérielle. Lors d'une étude réalisée dans trois cabinets médicaux et portant sur deux cents patients, des médecins anglais ont prouvé que cet "effet de la blouse blanche" était largement répandu et pouvait en outre conduire à un nombre considérable d'erreurs de diagnostic. L'étude prévoyait que les patients mesurent eux-mêmes leur tension ou que leur tension soit mesurée par un tiers : le médecin ou son assistante. Il s'est ainsi avéré que la personnalité du médecin, qui inspire le respect, conditionnait une augmentation de la pression artérielle : en moyenne, les valeurs mesurées par les médecins étaient de 18,9 millimètres de mercure supérieures aux autres. Si les médecins ne se laissaient guider que par les résultats de l'automesure, le traitement d'un grand nombre de patients se révélerait par conséquent inutile. Les auteurs de l'étude estiment pour leur part qu'"il est grand temps de ne plus utiliser les valeurs de tension mesurées par les médecins pour décider de la nécessité ou non d'un traitement[12]".

Aucun médecin ne conteste le fait que les personnes souffrant d'hypertension modérée ou sévère doivent être traitées avec des produits permettant de faire baisser la pression artérielle. Cependant, ces véritables malades atteints d'hypertension ne représentent "qu'une part infime de la population des hypertendus", souligne Uwe Heyll, médecin à Düsseldorf. Les individus concernés sont donc pour la plupart des "hypertendus sains" : la mesure de leur pression artérielle n'a révélé que des valeurs légèrement élevées et, ceci mis à part, ils sont en parfaite santé. La majorité des médecins insiste pour que ces individus soient également traités avec des médicaments contre l'hypertension, alors qu'il n'existe aucun indice scientifique de la validité de ce traitement. Les comprimés prescrits sont surtout susceptibles de générer des effets secondaires particulièrement désagréables. Uwe Heyll résume : "Le traitement médicamenteux de l'hypertension légère est une surthérapie qui, dans la plupart des cas, pourrait bien se révéler plus néfaste qu'utile[13]."

LE LOBBY DE L'OS ENTRETIENT L'ÉPOUVANTE

L'âge d'un être humain peut être déterminé par l'analyse de son ossature. Chez un sujet de trente ans, le squelette a atteint sa densité maximale. Dans les années qui suivent, la masse osseuse diminue : la résorption est plus importante que la formation osseuse. Ce processus, par lequel la densité osseuse perd 1 à 1,5 % par an, touche en premier lieu la colonne vertébrale. Un individu qui fête son soixante-dixième anniversaire a déjà perdu environ un tiers de sa substance osseuse – ainsi d'ailleurs qu'un tiers de sa masse musculaire.

Cette atrophie du tissu osseux est un phénomène lié à l'âge et qui, bien que désagréable, est tout à fait naturel. Les personnes âgées n'en ressentent le plus souvent aucune gêne notable ; chez certaines néanmoins, les os peuvent devenir si poreux et cassants qu'elles ne sont plus en mesure de supporter certaines charges. Des fractures vertébrales apparaissent, ce qui provoque une déformation extrême de la colonne vertébrale. Bien qu'il touche aussi les hommes, le phénomène est couramment désigné en Allemagne sous le nom de "bosse de la veuve". Certaines fractures du bras et du col du fémur, fréquentes chez les personnes âgées (soixante-quinze ans et plus), sont également à mettre sur le compte d'une ossature devenue poreuse et fragile.

C'est le pathologiste Jean-Frédéric Lobstein (1777-1835), enseignant à Strasbourg, qui donna à cette affection de la vieillesse le nom d'ostéoporose ("os poreux"). Durant des décennies, on se contenta de parler d'ostéoporose quand la détérioration de la masse osseuse conduisait effectivement à une fracture. Selon les données de l'Institut national de statistiques, en 1995, en Allemagne, le diagnostic "fracture du col du fémur" fut établi dans 74 803 cas chez des individus de plus de soixante-quatorze ans. Ce qui correspond dans cette tranche d'âge à une part relative de 1,2 %.

Ce chiffre, sans doute comparable à ceux des autres pays industrialisés, ne permet cependant pas d'étiqueter le phénomène comme étant un problème majeur de santé publique – l'ostéoporose, par l'action des laboratoires pharmaceutiques, devait donc être entièrement réinventée. En 1940, le médecin américain Fuller Albright (1900-1969) pose la première pierre de cette entreprise en déclarant que l'une des formes d'ostéoporose chez la femme est due à un déficit hormonal et doit être par conséquent traitée avec des œstrogènes – l'intérêt de l'industrie pour cette affection est né.

En 1982, le fabricant d'œstrogènes Ayerst Laboratories finance à travers les Etats-Unis une campagne destinée à faire connaître l'ostéoporose comme une menace pour les femmes ménopausées. Jusquelà, rares étaient les femmes qui, aux Etats-Unis comme dans le reste du monde, avaient ne seraitce qu'entendu le mot "ostéoporose". De nombreux reportages à la radio et à la télévision, ainsi que des articles dans la presse et des annonces publicitaires, devaient rapidement changer cet état de fait. Quinze ans plus tard, le Premarin, une préparation œstrogénique des laboratoires Ayerst, est le médicament délivré sur ordonnance le plus souvent prescrit aux Etats-Unis.

Marianne Whatley et Nancy Worcester, toutes deux chercheuses à l'université du Wisconsin, à Madison, ont analysé la campagne pharmaceutique et expliqué son succès par le fait que celle-ci jouait consciemment avec les angoisses des femmes. Les informations relatives à la fracture du col du fémur étaient par exemple tournées de manière à inspirer la crainte. "Dans l'une des brochures diffusées, relatives à la prévention de l'ostéoporose, on lit par exemple : «Les conséquences d'une fracture du col du fémur peuvent être catastrophiques. Plus de la moitié des femmes touchées ne s'en remettent jamais complètement. 15 % d'entre elles décèdent peu après l'accident, et près de 30 % au cours de l'année qui suit.» Or, ce dont les femmes ont le plus peur, c'est – dans le cas où elles survivraient à une fracture du col du fémur – de se voir livrées à de longues années de dépendance et d'immobilité[14]."

Ayerst Laboratories ne fut pas la seule entreprise à profiter de cette stratégie marketing offensive. Entre 1980 et 1986, le chiffre d'affaires généré par les préparations au calcium connut une augmentation dramatique. Un Coca-Cola allégé auquel avait été ajouté du calcium vit ainsi son bénéfice tripler sur certains marchés.

Mais pour permettre à l'ostéoporose de devenir un phénomène de masse, il fallait en outre que la maladie soit officiellement redéfinie. En 1993, la Rorer Foundation et les entreprises Sandoz Pharmaceuticals et SmithKline-Beecham financent ainsi la réunion d'une commission de l'Organisation mondiale de la santé (OMS), lors de laquelle ce pas devait être justement franchi. Selon la conclusion de l'OMS, "la diminution progressive de la masse osseuse liée à l'âge" serait d'ores et déjà à considérer comme un cas d'ostéoporose[15]. Depuis, l'industrie pharmaceutique a la possibilité, comme le signale un médecin allemand, "d'approvisionner en médicaments la moitié de la population à partir de quarante ans et jusqu'à un âge avancé[16]".

Pour diagnostiquer cette nouvelle affection, il est également nécessaire de disposer d'une habile technique de mesure de la densité osseuse. Celle-ci repose le plus souvent sur l'utilisation de rayons X. Plus les os sont denses, plus les rayons X sont atténués, cette atténuation étant alors analysée par ordinateur. Les résultats sont ensuite comparés à la densité osseuse d'un sujet de trente ans en parfaite santé. Dans la quasi-totalité des cas, ce procédé permet de déterminer chez la personne âgée une densité osseuse réduite – tout simplement parce que la résorption osseuse est l'une des conséquences de l'âge, au même titre que la peau ridée.

Afin de pouvoir néanmoins parler d'un processus pathologique, l'OMS dut décider de valeurs limites arbitraires. D'après ces dernières, l'ostéoporose est avérée lorsque la masse osseuse se situe de 20 à 35 % en deçà de la norme – ou présente plus de 2,5 déviations standard (DS). Une valeur inférieure de 1 à 2,5 DS à la norme est considérée comme un cas d'"ostéopénie" – sorte d'antichambre de l'ostéoporose.

Par cette définition, l'OMS a contribué à un élargissement dramatique du tableau clinique de l'ostéoporose. Ce n'est plus un os fracturé, mais une densité osseuse prétendue trop réduite qui transforme à présent un individu en patient, ce dernier étant alors invité à avaler préparations au calcium et autres remèdes de l'industrie. Pire encore : une densité osseuse à peine réduite est elle-même présentée comme une menace, l'ostéopénie.

Sur ordre de l'OMS, des tranches entières de la population sont ainsi subitement tombées malades en 1993 : 31 % des femmes âgées de soixante-dix à soixante-dix-neuf ans souffrent depuis d'ostéoporose et 36 % des femmes de plus de quatre-vingts ans sont considérées comme malades – même si celles-ci, au cours de leur longue vie, n'ont jamais été victimes d'aucune fracture.

Le lobby de l'os a accepté la définition de l'OMS avec la reconnaissance que l'on imagine. "L'ostéoporose est une maladie !" s'enthousiasme le médecin

Klaus Peter, de l'université de Munich, dans une brochure éditée à l'occasion de la Journée mondiale de l'ostéoporose, en octobre 2002, et d'ajouter, menaçant : "Les hommes ont tort de se croire en sécurité." Le colloque de Munich (dont la marraine était Karin Stoiber, épouse du ministre-président de Bavière) était sponsorisé par des laboratoires pharmaceutiques proposant des traitements médicamenteux contre l'ostéoporose[17]. La définition formulée par l'OMS offre en effet à ces entreprises la possibilité de réaliser un énorme chiffre d'affaires. Ainsi, une femme de plus de quarante-cinq ans sur deux chez qui la mesure de la densité osseuse a révélé une ostéoporose, a recours dans les six mois qui suivent à un traitement correspondant.

Les experts de l'OMS ont toutefois omis de fournir une explication scientifique à leur décision. Lorsque la Commission fédérale des médecins et des caisses d'assurance maladie demanda à l'OMS quels étaient les résultats d'études sur lesquels se fondait cette décision, l'employé responsable ne put ou ne voulut citer aucune source[18].

Il n'y a à cela rien d'étonnant : l'utilité de la mesure de la densité osseuse sur des patientes sans symptômes n'est pas attestée. Indépendamment les unes des autres, des études allemandes, américaines et suédoises en sont toutes arrivées à cette même conclusion. A Vancouver, au Canada, les experts du bureau d'évaluation des conséquences techniques de l'université de la Colombie-Britannique ont présenté sur la question un rapport exhaustif de cent soixante-quatorze pages. Leur conclusion est elle aussi absolument univoque : "En l'état actuel des preuves, rien ne porte à penser que la mesure de la densité osseuse chez des femmes ménopausées ou approchant de la ménopause permet un dépistage adapté des fractures futures[19]."

En Allemagne, la mesure de la densité osseuse sur des patients bien portants a récemment été rayée du catalogue des soins pris en charge par les caisses d'assurance maladie. L'enthousiasme des médecins n'en a pas pour autant été freiné : ils espèrent à présent que les personnes d'un certain âge paieront de leur poche l'inutile diagnostic. La densitométrie osseuse est ainsi vendue comme un "soin individuel" que le patient doit payer de ses propres deniers. "S'il souhaite pratiquer des soins individuels dans son cabinet, le médecin doit savoir faire preuve d'un peu d'intuition afin d'identifier la «disposition à l'achat» du patient et la situation adéquate", conseille le *Münchner Medizinische Wochenschrift* à ses lecteurs médecins. L'occasion se présente souvent au cours de la conversation : "La patiente ménopausée que l'ostéoporose tourmente sera reconnaissante à son médecin de lui indiquer pendant la consultation la possibilité de réaliser un diagnostic et une prévention de cette maladie[20]."

LA SANTÉ – UNE AFFECTION GÉNÉRALE DU MÉTABOLISME

Rien que pour les maladies cardiovasculaires, les chercheurs auraient à ce jour identifié environ trois cents influences et habitudes jouant le rôle de facteurs de risque, soulignent avec humour les médecins britanniques Skrabanek et McCormik. Les scientifiques comptent notamment au nombre des facteurs de risque l'excès de cholestérol, l'hypertension, le tabagisme, la surcharge pondérale, le diabète, un faible taux de cholestérol HDL, un taux élevé de cholestérol LDL, le sélénium, l'alcool, la sédentarité, l'absence de sieste, une alimentation pauvre en poisson, le fait de vivre en Ecosse, celui d'être de langue maternelle anglaise, les phobies graves, la ponctualité excessive, la non-consommation d'huile de foie de morue et le ronflement[21].

A quoi pourrait alors bien ressembler, dans ce monde de risques, un être qui n'aurait pas à craindre l'arrêt cardiaque ?

G. S. Myers a esquissé le portrait suivant d'un individu de sexe masculin : il s'agirait d'"un citadin efféminé, salarié ou employé des pompes funèbres, présentant une lenteur physique et psychologique, dépourvu de spiritualité, d'ambition ou d'esprit de compétition, qui n'aurait jamais tenté d'être à l'heure à aucun rendez-vous ; un homme sans appétit, se nourrissant de fruits et de légumes qu'il accommoderait avec de l'huile de maïs et de foie de baleine ; un non-fumeur dédaignant la radio, la télévision ou la voiture, à la chevelure épaisse, mais de constitution sèche et peu sportive, toutefois toujours soucieux d'entretenir ses maigres muscles. Avec un salaire, une tension artérielle, une glycémie, un taux d'acide urique et un taux de cholestérol tous réduits, il serait sous vitamines B2 et B6 depuis sa castration prophylactique et aurait pendant longtemps suivi un traitement anticoagulant."

Une femme présentant un faible risque de crise cardiaque serait quant à elle "une naine pas encore ménopausée, au chômage et se déplaçant à vélo, avec un faible taux de bêta-lipoprotéines et de graisses dans le sang, qui vivrait à l'étroit dans une chambre en Crète avant 1925 et se nourrirait de céréales décortiquées, d'huile de chardon et d'eau[22]".

La liste des prétendus facteurs de risque s'allonge de jour en jour – et chaque ajout la rend de moins en moins crédible. Afin d'éviter un cancer du sein, il est par exemple conseillé aux femmes d'avoir des enfants le plus tôt possible. Et pour se protéger d'un cancer de l'utérus, il leur est recommandé de rester vierges. Toutefois, les femmes sans enfants présentent un risque accru de cancer du côlon. La médecine préventive a ainsi atteint une telle ampleur que plus personne ne peut satisfaire à ses critères.

V

OÙ LA FOLIE DEVIENT NORMALITÉ

> *Ce qu'il vous faut, c'est un gramme de soma.*
>
> ALDOUS HUXLEY, *Le Meilleur des mondes.*

Comment différencie-t-on un fou d'un individu sain ? David Rosenhan, psychologue à l'université Standford de Californie, tenta de répondre à cette question en 1968, en jouant lui-même le premier rôle dans son expérience : pour cela, le chercheur, alors âgé de quarante ans, s'abstint pendant plusieurs jours de se laver et de se brosser les dents. Il se laissa pousser une barbe de trois jours et enfila des vêtements sales. Puis, sous un faux nom, il prit rendez-vous dans une institution psychiatrique et se fit déposer devant l'établissement par son épouse.

Au service des entrées, Rosenhan décrivit aux médecins les voix qu'il prétendait avoir entendues. Celles-ci, disait-il, étaient presque incompréhensibles, mais rendaient néanmoins des sons "vides", "sourds", "caverneux". Ce dont les psychiatres ne se doutaient pas, c'est que Rosenhan mentionnait précisément ces symptômes parce qu'aucune psychose leur correspondant n'était décrite dans la littérature médicale. Une fois hospitalisé, le chercheur se comporta à nouveau de manière parfaitement normale. Il discutait avec d'autres patients et avec le personnel – attendant la suite des événements.

Dans les années qui suivirent, l'expérience fut réitérée plusieurs fois. Rosenhan et sept autres compagnons de lutte, eux aussi en parfaite santé mentale, se firent interner pour les mêmes symptômes dans douze cliniques psychiatriques. Les règles de l'expérience prévoyaient que les pseudo-patients tentent de quitter les institutions par leurs propres moyens. Les participants se comportaient donc tout à fait normalement et se montraient coopératifs ; ils suivaient les règles de vie de l'institution et prenaient les psychotropes prescrits – du moins en apparence. Auparavant, ils avaient en effet appris comment coller un comprimé sous la langue au lieu de l'avaler.

Chaque fois, la même question brûlante se posait : combien de temps faudrait-il aux psychiatres pour découvrir les faux patients et les jeter dehors *manu militari*? Réponse : pas un seul des pseudo-patients ne fut démasqué. Les participants furent internés en moyenne pour une durée de trois semaines et ressortirent tous avec un diagnostic psychiatrique, le plus souvent une "schizophrénie en voie de rémission".

Deux mille cent comprimés, parmi lesquels se trouvaient les préparations les plus diverses, furent administrés aux faux patients – et ce, alors qu'ils avaient simulé le même symptôme. Dans l'une des institutions, Rosenhan fut même retenu pendant cinquante-deux jours. "Ça fait quand même long, se souvient-il. Mais finalement, je m'étais habitué à la vie d'interné[1]."

L'expérience contraire permit à David Rosenhan de berner une seconde fois l'establishment psychiatrique.

Pour cela, il annonça aux médecins d'une clinique psychiatrique qu'il allait leur "refiler" de faux patients dans les trois mois à venir. Or, cette fois, il ne leur envoya pas des individus sains, mais cent quatre-vingt-treize patients véritables. 10 % de ces malades psychiques se virent refuser l'internement – avec le motif qu'ils étaient en parfaite santé.

La publication de ces expériences dans *Science* ("De la normalité dans un environnement fou"), en 1973, ébranla la crédibilité de la psychiatrie. Les premiers essais, menés par le chercheur lui-même, révélaient l'arbitraire des neurologues. Selon quels critères déterminent-ils finalement la frontière entre sain et malade ? La réponse du psychologue David Rosenhan laisse songeur : "Nous avons beau être intimement convaincus de pouvoir distinguer le normal de l'anormal, les preuves de cette distinction ne sont tout simplement pas péremptoires[2]."

LES NOUVELLES SOUFFRANCES DE L'ÂME

Face à ce dilemme, le zèle (ou la maladie professionnelle ?) des psychiatres, qui réinterprètent un comportement normal en une attitude nécessitant un traitement, ne faiblit pourtant pas. Bien au contraire : le nombre de maladies psychiques répertoriées par les "classifications" officielles a connu ces dernières années une augmentation exceptionnelle. Après la Seconde Guerre mondiale, le catalogue de la Veteran's Administration ne recensait aux Etats-Unis que vingt-six troubles. Le *Diagnostic and Statistical Manual of Mental Disorders* actuellement en vigueur (DSM-IV) compte trois cent quatre-vingt-quinze maladies différentes que l'on peut diagnostiquer et par conséquent prendre en charge. De la même manière, quantité de troubles sont venus augmenter la *Classification internationale des maladies* (CIM-10) utilisée en Allemagne et qui se réfère à la liste américaine.

La progression épidémique de la folie et de la démence ne permet pas seulement d'assurer un revenu aux neurologues et aux psychothérapeutes : elle promet aussi aux entreprises pharmaceutiques de somptueux bilans financiers. La stratégie "Vends une maladie, et tes médicaments se vendront" est particulièrement courante dans le domaine de la neurologie, pour la bonne raison que les critères de diagnostic y sont par nature malléables. Les campagnes d'information de l'industrie pharmaceutique visent des problèmes psychiques mineurs, susceptibles de concerner un grand nombre de personnes. Les enfants indisciplinés, par exemple, se voient affublés d'une affection appelée le "trouble oppositionnel avec provocation".

En Allemagne, les relations financières entre psychiatres et laboratoires pharmaceutiques sont d'ailleurs monnaie courante. La Société allemande de psychiatrie, de psychothérapie et de neurologie (DGPPN), par exemple, est "soutenue" dans son action par les entreprises AstraZeneca, Aventis Pharma Deutschland, Lilly, Novartis Pharma et Organon. Les "infos presse" financées par les entreprises attirent constamment l'attention de l'opinion publique sur de nouveaux troubles psychiques. On pouvait ainsi lire en septembre 2002 : "Dépressions, angoisses, manies – tels sont les nouveaux maux de la civilisation[3]."

Certains neurologues s'étonnent pourtant de cette situation. "Les méthodes de commercialisation de l'information se sont développées à tel point que la façon de penser des médecins et du public peut être modifiée de manière radicale en l'espace de quelques années, estime le psychiatre britannique David Healy. Les médecins ne semblent pas surpris de voir la fréquence des troubles se multiplier par mille[4]."

Pour les patients, les médecins et les laboratoires pharmaceutiques, les catalogues de maladies sont de première importance. Une affection doit en effet y être répertoriée pour que les caisses d'assurance maladie prennent en charge les coûts engendrés par les médicaments et la thérapie. Ainsi, depuis que la "dysphorie prémenstruelle" a été intégrée à la liste américaine des troubles psychiques, les psychiatres sont eux aussi habilités à traiter cette prétendue affection féminine : avec des médicaments psychotropes s'il le faut. Ciblant ce marché, l'entreprise Lilly a ainsi pu recycler un produit bien connu. Le brevet du Prozac, best-seller pharmacologique, étant arrivé à échéance, l'entreprise commercialise à présent la même molécule sous le nom de Sarafem : un médicament censé lutter cette fois contre le grave syndrome prémenstruel. Les psychiatres entrent alors en concurrence avec les gynécologues – ces derniers jouant les apprentis sorciers avec des préparations hormonales destinées à combattre le même phénomène.

Parmi ces "nouvelles souffrances de l'âme", ainsi que les nomme le psychiatre Asmus Finzen, nombreuses sont celles qui ne constituent en réalité que des difficultés inhérentes à toute existence. Le deuil a par exemple fait son entrée en psychiatrie : sous la forme d'un "trouble d'adaptation" pathologique (CIM-10, F43). Il s'agit ici d'"états de souffrance subjective et de confusion émotionnelle, qui gênent les fonctions et les capacités sociales et surviennent pendant le processus d'adaptation suivant un changement décisif, un événement traumatique ou une maladie physiologique grave". L'originalité elle aussi est exagérée au point de devenir un "trouble de personnalité antisocial".

En additionnant les données relatives à la fréquence des maladies psychiques fournies par le DSM-IV, Asmus Finzen a mis en évidence le résultat suivant : 58 % des individus souffrent, à un moment donné de leur vie, d'un trouble de la personnalité – par conséquent, il est *normal* d'être mentalement malade[5].

Afin de satisfaire cette armée de prétendus malades psychiques, l'industrie dispose d'une colossale réserve de médicaments. Les antidépresseurs, notamment les inhibiteurs sélectifs de la recapture de la sérotonine (ISRS), dont le Prozac est le premier exemple et le plus connu, sont devenus des produits à la mode pour lutter contre la mélancolie, la tristesse ou les angoisses. Vert et blanc, les gélules de Prozac augmentent la quantité de sérotonine dans le cerveau et égayent ainsi l'humeur. La sérotonine est un messager important du cerveau, qui influence des sentiments tels que la fierté et l'estime de soi. Certes, les ISRS ont des effets secondaires tels que l'absence de désir sexuel ou, dans de rares cas, une prédisposition accrue à la violence et au suicide.

Mais beaucoup de gens sous ISRS déclarent que la molécule leur permet d'avoir les idées plus claires, d'être plus sûrs d'eux, plus disponibles. Celle-ci a ainsi ouvert la voie de la "psychiatrie cosmétique", pour reprendre les termes du neurologue américain Peter Kramer dans son best-seller *Prozac – le bonheur sur ordonnance*. Des individus en parfaite santé prendraient du Prozac "pour se sentir mieux que bien". Autrefois au service du malade mental, les entreprises pratiquent aujourd'hui une industrie de la santé vouée au bonheur psychique.

L'un des effets secondaires notoires de ce remonte-moral doit en outre être signalé : depuis que l'on sait que les ISRS et d'autres médicaments modifient certaines facettes du comportement humain, ces traits de caractère et ces humeurs sont systématiquement médicalisés. L'"angoisse", notamment, a éveillé la convoitise des fabricants de cachets. Au début de l'année 2002, pas moins de vingt-sept molécules différentes, conçues pour lutter contre les troubles de l'angoisse, attendaient leur mise sur le marché dans les starting-blocks du développement industriel[6]. Les efforts de la recherche rappellent *Le Meilleur des mondes* dépeint par Aldous Huxley : dans son roman, deux mille pharmacologues et biochimistes se voient confier la tâche de développer une drogue populaire qui rendrait les gens heureux et les priverait d'esprit critique. Grâce au "soma", "vous vous offrez un congé hors de la réalité chaque fois que vous en avez envie[7]".

A l'origine conçus pour le traitement de dépressions graves, les ISRS sont aujourd'hui prescrits dans les pays occidentaux contre un pêle-mêle de troubles encore inexistants il y a quelques années.

La paroxétine, par exemple, est maintenant autorisée aux Etats-Unis dans le cas de traitements contre le trouble anxieux généralisé, le trouble panique, le trouble obsessionnel compulsif et l'état de stress post-traumatique.

Pour gagner une nouvelle clientèle, des millions sont investis dans la propagation de phénomènes obscurs. L'Américain Arthur Levin, chargé de la protection du consommateur, déclare : "Les symptômes sont si larges, si vagues que presque chacun d'entre nous peut s'écrier : C'est tout à fait mon cas, ça !" De nouveaux troubles sont habilement créés, qui s'appuient sur des maladies déjà reconnues. Dans le sillage de la dépression, les médecins et l'industrie auraient ainsi identifié un état qu'ils ont baptisé "dysthymie".

"Fatigue, abattement, doute – qui ne connaît pas ces phases où l'on voit tout en noir ?" s'interroge la Société allemande de psychiatrie, de psychothérapie et de neurologie, affirmant en outre que cette perception négative représenterait un état permanent pour jusqu'à 3,3 millions d'Allemands. Selon la même société, ce trouble serait "bien trop rarement reconnu comme maladie et traité en conséquence[8]". L'usage populaire, quant à lui, nomme le patient dysthymique par le seul nom qui lui convienne : grincheux.

Les troubles croissent et se multiplient, ainsi que le montre encore l'exemple du "stress post-traumatique" : récemment, cette maladie a mis au monde un fils portant le nom de "stress aigu". D'après les psychiatres, le stress post-traumatique peut survenir chez 30 % des individus ayant personnellement vécu des événements traumatisants, tels que la guerre ou un enlèvement. Aujourd'hui, il vous suffit d'assister au même type d'événements, confortablement installé dans votre fauteuil devant la télévision, pour devenir un patient potentiel : vous risquez en effet de succomber au "stress aigu", un état intégré depuis peu au catalogue de diagnostics du DSM-IV *(acute stress disorder)* et qui nécessiterait prétendument d'être traité.

En psychiatrie infantile, les maladies se multiplient aussi : depuis que l'on sait que certaines substances modifient certains comportements chez l'enfant, ce sont précisément ces attitudes que l'on présente comme étant pathologiques, en affirmant qu'elles doivent donner lieu à un traitement – le résultat : l'arrivée des psychotropes dans les cours de récréation (voir le chapitre VI).

DIAGNOSTIC : INSOCIABILITÉ

L'histoire de la timidité montre bien comment fonctionnent les roues de l'engrenage lorsqu'il s'agit d'établir une nouvelle maladie sur le marché. En 1998, l'entreprise SmithKline-Beecham demande auprès de la FDA que le Paxil soit autorisé pour un phénomène que l'on appelait alors la "phobie sociale" et qui sera plus tard baptisé "trouble d'anxiété sociale" (*social anxiety disorder*, SAD). Il s'agissait là d'une forme d'insociabilité ou de timidité pouvant prétendument être diagnostiquée. Le trouble avait fait en 1980 son entrée au catalogue du DSM, où il était répertorié comme "extrêmement rare".

Il semblait toutefois possible de développer ce syndrome. Qui en effet n'a pas le cœur qui bat la chamade au moment de tenir un discours ? Qui ne souffre jamais du trac ? Dans des sondages, 50 % environ des personnes interrogées se qualifient de plutôt timides.

Alors que le processus d'autorisation n'avait pas encore abouti, le laboratoire pharmaceutique commença à faire connaître le potentiel pathologique de la timidité. Comme le rapporte *PR News*, journal destiné aux professionnels des relations publiques, l'agence de relations publiques Cohn & Wolfe fut chargée "de positionner le trouble d'anxiété sociale comme un état sérieux". Peu après, celle-ci présentait un slogan qui faisait allusion à l'allergie de certains individus vis-à-vis de leurs prochains : *"Imagine Being Allergic to People."*

Des affiches publicitaires firent leur apparition aux arrêts de bus, montrant un jeune homme accablé. "Tu rougis, tu transpires, tu trembles – il t'est même difficile de respirer. Voilà ce que c'est que le trouble d'anxiété sociale." Aucune indication relative aux médicaments ou aux laboratoires pharmaceutiques ne figurait sur les affiches. Celles-ci faisaient néanmoins référence à une "coalition contre l'anxiété sociale", composée de trois groupes semblant agir dans l'intérêt commun : l'Association des psychiatres américains, l'Anxiety Disorders Association of America et le groupe de patients Freedom from Fear.

Les différentes parties, apparemment d'utilité publique, ne s'étaient cependant pas réunies d'elles-mêmes ; leur regroupement était bien plutôt soutenu financièrement par SmithKline-Beecham. L'agence de relations publiques Cohn & Wolf était en outre chargée par cette coalition de répondre aux questions des médias. Elle diffusa un communiqué de presse audiovisuel et publia un document annonçant que l'anxiété sociale "touchait jusqu'à 13,3 % de la population". Après la dépression et l'alcoolisme, le SAD devenait ainsi la troisième maladie psychiatrique la plus courante aux Etats-Unis.

Auparavant, les psychiatres avaient pourtant toujours estimé que seuls 2 à 3 % de la population bataillaient avec ce problème. Comment en était-on donc arrivé à une telle multiplication des timides ? L'extension de la timidité pathologique, qui touchait ainsi des millions d'individus, fut décidée par un petit comité de psychiatres – lorsqu'ils modifièrent la définition de l'anxiété sociale. D'une part, les scientifiques intégrèrent au tableau clinique un sous-type du trouble plus communément répandu et, d'autre part, ils rayèrent du diagnostic un critère strict : le "désir compulsif d'évitement". Depuis, un individu timide peut être déclaré malade dès lors que sa timidité "est associée pour lui à des difficultés notables[9]".

"Afin de donner un visage à la maladie", Cohn & Wolf procura également aux journalistes des patients bavards. "Tout me demandait deux fois plus d'efforts qu'aux autres, raconte une femme dans le *Chicago Tribune*. Avec le SAD, les soucis peuvent devenir un vrai job à plein temps. Et comme, en plus, je travaillais toute la journée, j'étais épuisée, tout le temps épuisée[10]." Une certaine Grace Dailey, qui apparaissait en outre dans une publicité, fut elle aussi fréquemment citée. Le psychiatre Jack Gorman était également très présent, dont tout le monde savait qu'il n'agissait pas de manière désintéressée. D'après les recherches du journal britannique *The Guardian*, l'homme travaillait en effet comme conseiller rémunéré pour SmithKline-Beecham et pour au moins douze autres laboratoires pharmaceutiques.

Le succès de la campagne portant sur l'anxiété sociale est facilement quantifiable. Dans les deux ans qui précédèrent l'autorisation du Paxil, il y eut sur le sujet moins de cinquante interventions dans les médias américains. En mai 1999, en revanche, quand la FDA communiqua sa décision d'autoriser le Paxil, des centaines d'articles et de reportages envahirent la presse et la télévision. Fin 2001, le Paxil, remède contre l'anxiété sociale et le trouble anxieux généralisé, avait rejoint le peloton de tête des antidépresseurs, au même titre que le classique Prozac.

Grâce à des chercheurs de Dresde, le trouble anxieux a aujourd'hui ses entrées en Allemagne. A la suite d'un sondage mené auprès de vingt mille patients qui s'étaient rendus chez leur médecin traitant, les scientifiques prétendent avoir découvert que 5,3 % d'entre eux souffraient du fameux trouble anxieux généralisé et que certains symptômes isolés de cette maladie se retrouvaient chez un sondé sur quatre. Le résultat promet beaucoup de travail au sponsor du sondage – qui n'est autre que le laboratoire Wyeth, responsable d'un site Internet de promotion de ce type de troubles (www.denkepositiv.com)[11].

"L'opinion assez communément répandue selon laquelle les récents développements de la civilisation favoriseraient l'apparition de maladies mentales ne peut être attestée de manière purement scientifique", signalait déjà en 1892 le célèbre dictionnaire encyclopédique Brockhaus. Durant le siècle qui a suivi, le nombre de malades psychiques dans nos sociétés est d'ailleurs resté constant, fait remarquer Asmus Finzen, psychiatre à Bâle. Aujourd'hui, deux individus sur mille souffrent d'une maladie psychique grave, deux sur cent sont suivis par un psychiatre, et l'on estime que 20 à 30 % de la population est à un moment donné en "mauvaise santé mentale". Mais ces problèmes personnels sont souvent de courte durée et disparaissent d'eux-mêmes, rappelle Asmus Finzen : on peut être abattu un jour et voir la vie en rose dès le lendemain[12].

VI

PSYCHOTROPES ET COURS DE RÉCRÉ

Les petits comprimés blancs transforment les enfants. Nina, par exemple, une écolière de huit ans qui vit à Mittelehrenbach, en Suisse franconienne, avait autrefois sans arrêt la bougeotte. Elle passait trois heures à faire ses devoirs et disait à sa mère : "J'ai tellement de choses dans la tête."

Mais depuis un an et demi, tout a changé. Nina prend maintenant chaque jour des "cachets pour la concentration", ainsi que les a baptisés sa famille. "Elle suit mieux à l'école et fait les choses plus consciencieusement", raconte la mère de Nina tandis que sa fille joue un petit air à la flûte. Elle-même a longtemps hésité avant de faire mettre sa fille sous traitement. Mais sans la Ritaline, rien ne marche : "Nina voudrait bien fonctionner comme tout le monde."

Felix aussi, un petit blondinet de neuf ans originaire de Forchheim, non loin de Mittelehrenbach, a changé – en bien, d'après ses parents : auparavant, leur fils "était toujours à s'agiter, incapable de rester calme et de se concentrer, déclare la maman. Il y avait quelque chose qui clochait chez cet enfant." Elle a aujourd'hui changé d'avis. Depuis que Felix prend chaque jour de la Ritaline, il serait plus accessible : "Maintenant, il arrive parfois à s'asseoir et à lire un livre." A l'école aussi, tout se passerait bien mieux ; aujourd'hui, Felix a quand même réussi à avoir un C+ en dictée. La maman se réjouit : "La Ritaline, c'est quand même un remède miracle[1]."

Tout comme Nina et Felix, plus de cinquante mille enfants prennent chaque jour en Allemagne des psychostimulants destinés à les rendre plus calmes et plus attentifs. Les comprimés sont censés combattre un trouble qui se répand comme une épidémie : le trouble déficitaire de l'attention (TDA), souvent lié à l'hyperactivité (TDAH).

En même temps que le nombre de diagnostics, le nombre de petits consommateurs augmente dramatiquement. La Ritaline et le Medikinet, son concurrent en Allemagne, atteignent des ventes sans précédent. A Bonn, la division du Contrôle des stupéfiants signale que la consommation de méthylphénidate, principe actif de ces médicaments, a récemment connu une augmentation en flèche. En agissant directement dans le cerveau, ce stimulant améliore l'attention. Si la consommation de méthylphénidate s'élevait en 1993 à quelque 34 kilos, elle atteignait déjà 693 kilos en 2001 – en l'espace de dix ans à peine, la consommation a ainsi été multipliée par plus de vingt.

Le nombre de prescriptions est cependant largement dépassé par le nombre de parents craignant que leur progéniture ne soit atteinte de la sinistre maladie. Plus de soixante livres en langue allemande ont pour thème le TDAH et viennent étancher leur soif d'informations. Lors de manifestations, des centaines de spectateurs écoutent religieusement les psychologues, médecins et témoins s'affronter sur les questions essentielles : comment puis-je reconnaître si mon enfant est touché ? A qui incombe la faute, à l'éducation parentale ou aux gènes ? La Ritaline est-elle efficace ? Et surtout : le TDAH est-il une véritable maladie – ou simplement un phénomène de mode ?

Comme toujours lorsqu'il s'agit de l'éducation et du bien-être des enfants, le débat est passionné et chargé d'accusations diverses : un parent qui administre à son enfant la "pilule d'obéissance" passe vite pour un parent indigne ; mais quiconque se dit contre la Ritaline est tout aussi rapidement soupçonné d'être un sympathisant de la scientologie. La secte diabolise en effet toutes les drogues psychiques, qu'elle qualifie d'objets de Satan – tout en présentant son propre lavage de cerveau comme la clé d'une vie meilleure.

Pour corser le tout, d'horribles histoires sur l'utilisation détournée du méthylphénidate contribuent à échauffer l'ambiance : aux Etats-Unis, des adolescents et de jeunes adultes consomment même la pilule d'obéissance comme une drogue de bien-être, qui couperait la faim et empêcherait la fatigue. Les comprimés sont pris par voie orale ou écrasés, puis sniffés. "Certains dissolvent les comprimés dans de l'eau avant de s'injecter le mélange", rapporte le ministère de la Justice américain. Les injections pourraient en outre entraîner "de graves dommages sur les poumons et la rétine" et "causer une dépendance psychique sérieuse", met en garde le même ministère.

En Allemagne, le TDAH est aujourd'hui le trouble psychique le plus fréquemment diagnostiqué chez l'enfant et l'adolescent, tout comme aux Etats-Unis, où l'on estime à cinq millions le nombre d'élèves sous méthylphénidate. D'après des estimations, 2 à 10 % des enfants seraient concernés – ce qui revient à dire que chaque classe compterait jusqu'à deux enfants remuants pour lesquels une prise en charge médicale serait nécessaire.

L'hystérie liée au TDAH ne connaît plus de limites. Les médecins ne sont pas les seuls à rechercher le cas non encore détecté ; les enseignants aussi passent leurs classes au peigne fin. Dans des écoles de Hambourg, des tracts ("Aide à l'entraide") circulent ainsi dans le but d'attirer l'attention des enseignants sur les enfants touchés. Pour Felix, par exemple, c'est l'institutrice qui insista pour qu'un examen médical soit fait. Peu après, l'enfant reçut sa première dose de "p'tit poison", nom donné au méthylphénidate par certains parents de la ville franconienne.

Ailleurs, des mères appellent leurs enfants sur leur portable ou leur envoient des textos pour leur rappeler de prendre leur comprimé pendant la deuxième récréation. Parfois, ce sont même les enseignants qui donnent aux enfants leurs médicaments – ce qui se révèle délicat d'un point de vue juridique, car il s'agit là d'un stupéfiant. Les élèves plus âgés sont équipés de piluliers qui sonnent dès que le comprimé doit être pris.

Depuis peu, un nombre croissant d'adultes sont également considérés comme atteints d'inattention pathologique et d'agitation fébrile maladive. "L'hyperactivité n'est pas une maladie infantile", affirme la Société allemande de psychiatrie, de psychothérapie et de neurologie. "Jusqu'à deux millions d'adultes" souffriraient en Allemagne de symptômes correspondants. "Des troubles de la concentration et une impulsivité sans but les empêchent de surmonter le quotidien." Par bonheur, les psychotropes viennent à leur secours : il aurait en effet "été démontré que les adultes, tout comme les enfants, réagissent bien aux médicaments stimulants[2]".

L'industrie s'est d'ailleurs déjà approprié le groupe cible des adultes. "Le TDAH, un compagnon pour la vie", exulte la multinationale Novartis, qui fabrique la Ritaline. En mai 2002, l'entreprise a organisé une formation à Bâle où les médecins invités étaient instruits sur la manière dont le trouble devait être traité "par stimulants et/ou par antidépresseurs".

Novartis se préoccupe cependant principalement des enfants. L'entreprise a ainsi publié un album illustré destiné aux plus jeunes. Le conte pharmaceutique raconte l'histoire de la pieuvre Hippihopp qui se fait "toujours gronder" parce qu'elle est à la fois "partout et nulle part" et qu'il lui arrive sans cesse des mésaventures. Heureusement, Mme le docteur Tortue découvre ce dont souffre Hippihopp : sa patiente est atteinte d'"un trouble déficitaire de l'attention" ! Mieux encore, Dr Tortue sait ce qu'il lui faut : "un petit comprimé blanc".

Derrière la consommation grandissante de médicaments se cache bien plus qu'une simple bougeotte. Cela fait des années que les laboratoires pharmaceutiques, aidés de certains neurologues, s'appliquent à présenter leurs contemporains nerveux et instables comme des individus malades devant être traités. Mais le mythe de l'enfant hyperactif fait aujourd'hui comme jamais l'objet d'une attention passionnée, promettant ainsi des millions de chiffre d'affaires. A l'heure actuelle, au moins douze molécules différentes, destinées à être administrées contre le syndrome de la bougeotte, sont en phase de développement clinique[3].

Tout a pourtant commencé de manière bien innocente : dans son livre *Crasse-Tignasse*, le neurologue Heinrich Hoffmann, originaire de Francfort, décrivit, en 1845, pour la première fois un enfant nerveux. Philippe-qui-gigote, le personnage de Hoffmann, ne pouvait rester en place : sur sa chaise, il gigotait, se balançait, se dandinait et trépignait – jusqu'à ce que la chaise soudain bascule. Se cramponnant à la nappe, Philippe emportait alors dans sa chute soupe, vin, assiettes, tout ! Un demi-siècle plus tard, en 1902, la revue médicale britannique *The Lancet* publiait le compte rendu d'un médecin qui prétendait avoir observé des enfants présentant "un trouble de la volonté" et une "incapacité notable à se concentrer[4]".

Mais la véritable carrière du TDAH ne débute que des décennies plus tard. Elle a pour origine une découverte faite par hasard dans un laboratoire : en 1944, Leandro Panizzon, chimiste employé par l'entreprise Ciba*, synthétisa et testa personnellement la molécule de méthylphénidate, sans toutefois noter de résultats convaincants. Sa femme Marguerite, surnommée Rita, goûta également la substance – et remarqua un effet particulièrement vivifiant. Rita continua alors de prendre le produit de temps à autre, avant de jouer au tennis, et le

---

* Ciba-Geigy fusionna avec Sandoz en 1996 pour former Novartis, l'actuel fabricant de la Ritaline.

chimiste Panizzon s'inspira du nom de son épouse pour baptiser sa découverte Ritaline.

Le produit jugé anodin ne fut tout d'abord administré qu'à des adultes, pour remédier à des états tels que la fatigabilité aiguë, les dispositions dépressives et la sénilité – le tableau clinique qui devait rendre la Ritaline célèbre et la placer au cœur des débats n'avait pas encore été inventé.

Il fallut attendre les années 1960 pour que des résultats montrent l'effet notable du méthylphénidate et d'une molécule voisine, la dexédrine, sur les élèves en difficulté.

Le psychologue Keith Conners et le psychiatre Leon Eisenberg menèrent les premières expériences sur la dexédrine dans le Maryland, dans deux écoles de Baltimore qui accueillaient des enfants noirs de la classe populaire. Une fois la molécule administrée aux élèves, la cohue et le tapage qui régnaient normalement dans les écoles diminuèrent. "Le comportement en classe, le rapport à l'autorité et la participation aux activités de groupe" s'amélioraient chez les enfants traités, signalèrent leurs enseignants – qui avaient ainsi trouvé un moyen de rendre plus supportables les conditions de vie dans les écoles des ghettos[5].

A la suite de ces résultats et de résultats similaires, le National Institute of Mental Health et quelques laboratoires pharmaceutiques entreprirent d'autres études sur la pilule d'obéissance. Les journaux consacrèrent bientôt certaines de leurs colonnes au remède miracle et le nombre de prescriptions grimpa en flèche. Toutefois, on ne savait toujours pas exactement contre quoi le comprimé devait être prescrit.

Le problème de l'indication manquante fut résolu à la fin des années 1960 par des médecins américains, dont le tour de passe-passe a encore aujourd'hui des conséquences. Les scientifiques proposèrent d'utiliser les médicaments pour diagnostiquer la maladie chez l'enfant : si la prise du produit modifie le comportement du petit patient, c'est que ce dernier est malade. A l'inverse, les enfants qui ne réagissent pas à la molécule sont en bonne santé.

Cette ruse laissa ainsi le champ libre à l'administration massive de drogues psychotropes aux enfants, pratique aujourd'hui courante. Jusqu'alors, il aurait été impensable de donner des amphétamines ou des substances analogues à des enfants, uniquement parce qu'ils ne se comportaient pas correctement à l'école ou à la maison. Mais la situation était ainsi envisagée d'un tout autre point de vue : il s'agissait en effet de soigner un syndrome pathologique. La maladie n'avait pu apparaître qu'avec l'existence de psychotropes ; le diagnostic serait établi par la thérapie. A l'époque, en 1970, deux à trois cent mille enfants américains prirent ainsi des médicaments modifiant leur comportement. Leur nombre – aux Etats-Unis comme en Allemagne – n'a cessé de croître depuis[6].

Les laboratoires pharmaceutiques appelaient le phénomène "trouble fonctionnel du comportement" jusqu'à ce que cette désignation floue soit interdite par la FDA, l'Agence américaine du médicament. Le trouble fut alors prestement rebaptisé et reçut le nom de "dysfonctionnement cérébral minime". Plus tard, l'appellation "trouble hypercinétique" hanta les crèches et les écoles primaires. Pour finir, l'Association américaine de psychiatrie inventa en 1987 l'abréviation ADHS (en français TDAH), encore utilisée aujourd'hui.

Dans un marché en pleine expansion et qui rapporte des milliards, la Ritaline est devenue le psychotrope pour enfants par excellence. Ces comprimés étaient pourtant plus chers que certains produits de la concurrence. Mais à l'aide d'une campagne agressive, qui faisait la promotion non seulement du médicament, mais aussi de la maladie, le fabricant a su s'assurer la première place. Les publicités montraient notamment une salle de classe dans laquelle des enfants rayonnants étaient assis bien sagement. L'instituteur se tenait debout à côté du seul garçon dont le visage était flou. "Cet enfant est victime du dysfonctionnement cérébral minime, une entité clinique qui peut être diagnostiquée et, dans la majorité des cas, traitée avec succès", peut-on lire dans le texte qui accompagne l'image. "La Ritaline, signale encore la publicité, peut jouer un rôle important dans ce traitement."

Aujourd'hui, trente ans après, les faits se reproduisent. Cette fois, l'action se passe aussi en Allemagne et les entreprises les plus diverses se disputent le premier rôle. Toutes prétendent diffuser des informations de santé publique – et cherchent de manière parfaitement ciblée à ancrer le phénomène du TDAH dans la conscience des médecins et de l'opinion publique.

Lors du congrès des pédopsychiatres qui a eu lieu à Berlin en mars 2002, le laboratoire Medice (fabricant du Medikinet), sis à Iserlohn, a financé un séminaire sur le sujet. Ensemble, les concurrents Medice et Novartis, inhabituellement réunis pour la circonstance, ont soutenu un supplément de la revue

Kinder- und Jugendarzt, entièrement consacré au thème du TDAH, et qui encourage la prescription de méthylphénidate[7].

Le laboratoire pharmaceutique Lilly est quant à lui l'unique sponsor du Cercle de recherches de Hambourg sur le TDA/TDAH. Le groupe, formé de partisans du traitement médicamenteux, aspire à une "extension nationale" et a publié un guide à l'intention des médecins, des parents et des enseignants. Ces derniers revêtent une importance toute particulière pour le Cercle de recherches financé par l'industrie – souhaitant assurer leur formation, le groupe tente donc de mêler les autorités scolaires de Hambourg à sa campagne. Lilly a en outre soutenu un colloque sur "les enfants et les adolescents agités", dont le sous-préfet lui-même était le parrain[8].

Or, il se pourrait bien que l'engagement financier de Lilly ait un fondement bien peu désintéressé : le groupe souhaite bientôt demander l'autorisation de mise en vente de sa propre pilule d'obéissance afin d'attaquer la Ritaline, leader sur le marché. Ainsi que le rapportait la revue spécialisée *Ärztliche Praxis*, l'Atomoxétine, la molécule développée par Lilly, doit améliorer "le fonctionnement social et familial" des enfants tout en comportant beaucoup moins d'effets secondaires que la Ritaline. Le tout récent produit est déjà disponible sur le marché américain. Le groupe pharmaceutique Janssen-Cilag, enfin, offre également un nouveau produit : le Concerta, autorisé depuis peu en Allemagne, agit dans le cerveau des enfants pendant douze heures – toute la journée.

Tandis que les entreprises du médicament se partagent grâce à leurs campagnes les marchés d'aujourd'hui et de demain, les parents anxieux se demandent ce que représente réellement l'administration continue de psychotropes à des écoliers : une bénédiction ou un scandale ?

Le pédiatre Klaus Skrodzki, installé dans la ville franconienne de Forchheim, approuve avec véhémence le traitement médicamenteux. "Quand le développement d'un enfant décline, nous nous devons d'intervenir avec des médicaments", déclare-t-il. Le leste pédiatre est installé depuis plus de vingt ans et aimé de tous. C'est lui qui a prescrit le méthylphénidate à Nina, à Felix et à bien d'autres enfants de Forchheim et des environs.

Si le Dr Skrodzki est devenu en Allemagne l'un des pionniers de la Ritaline, c'est tout d'abord en réponse à l'histoire de son propre fils Florian, né il y a vingt-sept ans. "Déjà à la crèche, on le remarquait. Il n'arrivait absolument pas à dessiner et cassait beaucoup de choses", raconte son père. A l'école primaire, le fils du médecin est incapable de suivre. Six semaines après la rentrée, le père vient chercher son fils à l'école – et l'amène chez un confrère qui lui prescrit du méthylphénidate. C'était il y a vingt ans.

Les résultats scolaires de l'enfant restèrent cependant modestes : Florian quitta l'école sans diplôme, mais suivit ensuite une formation professionnelle comme jardinier, puis comme animateur équestre. Aujourd'hui, il nettoie les écuries dans un haras et donne des cours d'équitation aux enfants. A en croire sa mère, "il s'entend mieux avec les chevaux qu'avec les êtres humains".

Depuis, papa Skrodzki ne jure plus que par le traitement des enfants trop remuants ou inattentifs.

"Grâce au méthylphénidate, on donne à l'enfant une chance d'exprimer ses capacités", déclare-t-il. Quant à savoir ce qui est si typique, si particulier chez les enfants atteints du TDAH, le médecin répond : "Ils sont capables de me faire tourner en bourrique dans mon cabinet." Et il ajoute : "Mais ils sont souvent bien plus intéressants que les autres enfants."

Klaus Skrodzki prescrit également le produit à des enfants de moins de six ans, quand il le juge nécessaire – et ce, bien que le fabricant lui-même mette en garde contre une telle indication. Son plus jeune patient était âgé de trois ans. "Je craignais que la mère n'égorge son enfant", explique-t-il pour justifier la prescription.

A l'inverse de son confrère, le pédiatre Dietrich Schultz, installé depuis vingt ans à Wolfratshausen, en Bavière, voit avec une inquiétude grandissante la prescription de méthylphénidate gagner de l'ampleur. Certes, il lui est arrivé de prescrire le médicament occasionnellement, parce qu'il "est efficace dans des cas précis". Mais le médecin, qui est également psychanalyste, met en garde contre une prescription "bien trop fréquente". "Le TDAH est une construction. Il permet d'expliquer chez l'enfant un comportement généré par notre société, estime Dietrich Schultz. On coiffe toute une génération d'enfants avec ce chapeau." Schultz craint en outre que, bien trop souvent, le médicament soit administré aux enfants sans que soit proposée aucune autre thérapie. "Se contenter de prescrire ce médicament sans autre forme de procès est une faute professionnelle." C'est précisément cette démarche qui porte gravement atteinte au petit patient.

Elle pourrait en effet signifier pour lui que son intelligence et son univers émotionnel sont défaillants.

Le désaccord des pédiatres est représentatif de la violente croisade qui oppose les psychologues, les thérapeutes, les enseignants, les mères, les pères, les grands-parents et les hommes politiques : l'administration massive de médicaments aux enfants cache-t-elle vraiment une augmentation réelle des anormalités comportementales pathologiques ? Ou bien s'agit-il simplement de faire taire grâce aux psychotropes les problèmes qui règnent dans les familles, les crèches et les écoles allemandes ?

Une chose est sûre : les inventeurs de maladies n'auront de cesse qu'ils ne présentent le plus grand nombre d'enfants comme psychiquement anormaux, dérangés ou malades. "Angoisses : un enfant sur sept a besoin d'être traité" – c'est avec ce gros titre que la Société allemande de psychiatrie, de psychologie et de neurologie veut choquer. Le communiqué de presse, sponsorisé par cinq laboratoires pharmaceutiques, ne prend pas même la peine d'indiquer les sources qui ont conduit à cette affirmation[9].

Il arrive parfois même que les conditions de vie suffisent à transformer les enfants en petits patients. L'augmentation du nombre de divorces entraînerait, selon le psychiatre Richard Gardner, une multiplication du *parental alienation syndrom*. On sait, depuis longtemps déjà, que les enfants peuvent souffrir de la séparation de leurs parents – mais cette souffrance est-elle vraiment une maladie à proprement parler ?

Les frontières entre l'invention "sérieuse" de maladies et la satire s'effacent. En 1985, Jordan Smoller, de l'université de Pennsylvanie, écrit ainsi dans un article particulièrement apprécié que l'enfance est "un syndrome ne retenant que depuis peu l'attention des cliniciens". Au nombre des symptômes les plus importants de cette maladie, Smoller compte notamment "l'immaturité" et "le nanisme". Selon lui, les "créatures bruyantes et courtes sur pattes" nous sont certes familières, mais "le traitement des enfants est néanmoins resté inconnu jusqu'à notre siècle, jusqu'à l'apparition des pédopsychologues et des pédopsychiatres". Le traitement des "tout-petits", continue Smoller, s'avère particulièrement ardu. Ces derniers seraient en effet "connus pour se comporter de manière infantile et faire preuve d'un manque consternant de discernement[10]".

L'ENFANCE SOUS L'EMPRISE DES DROGUES

Un sentiment désagréable envahit Marion Caspers-Merk (Parti social-démocrate allemand) dès que l'on aborde le thème du méthylphénidate. Constatant avec étonnement que "la consommation double chaque année", la déléguée gouvernementale en matière de drogue a donc fait analyser cette augmentation galopante. Etrangement, en 2000, les "pilules d'obéissance" n'ont pas été prescrites aussi souvent dans tous les länder allemands : la prescription est largement plus fréquente dans les villes-Etats de Brême et de Hambourg qu'en Rhénanie-du-Nord-Westphalie ou en Saxe-Anhalt.

Marion Caspers-Merk a en outre fait évaluer toutes les ordonnances de méthylphénidate dans deux cents pharmacies, dites de référence. Or, bien souvent, le médecin qui prescrit le psychotrope à l'enfant n'a absolument pas été formé à cet effet : une ordonnance sur trois n'émanait pas d'un pédiatre ou d'un pédopsychiatre, mais de médecins de laboratoire, de radiologues, d'oto-rhino-laryngologistes, de gynécologues – et même, dans un cas isolé, d'un dentiste. La déléguée gouvernementale suppose par conséquent que "les conditions ne sont pas toujours remplies pour que le diagnostic conduisant à une prescription de méthylphénidate soit établi correctement[11]".

Marion Caspers-Merk n'est pas la seule à douter. De plus en plus de médecins et de thérapeutes critiquent également l'inflation des prescriptions. Des spécialistes comme Ulrike Lehmkuhl, de l'hôpital de la Charité à Berlin, ou Norbert Veelken, de la clinique Nord à Hambourg, sont sans cesse confrontés à des enfants qui avalent du méthylphénidate à la suite d'un faux diagnostic. Car même lorsque l'on dépiste chez un enfant des signes sérieux indiquant un trouble de l'attention, le recours à des médicaments ne se justifie que dans un cas sur trois.

Parallèlement à cette prescription sans discernement, la description de la prétendue maladie à combattre est restée floue. L'étiquette lourde de conséquences – un enfant atteint du TDAH ! – repose toujours sur l'impression subjective du médecin et les critères de diagnostic du comportement comprennent des attributs que l'on retrouve chez beaucoup, pour ne pas dire chez tous les enfants bien portants : "Semble souvent ne pas écouter quand on s'adresse à lui", "A souvent des difficultés à organiser des tâches et des activités", "Crie souvent sa réponse". Faut-il voir ici les symptômes d'une maladie – ou s'agit-il d'une liste de comportements qui insupportent les adultes (ou certains d'entre eux) ?

Les médecins eux-mêmes ne sont pas toujours compétents en la matière et appliquent à la file les outils de diagnostic, pourtant controversés. Au moins un tiers des enfants estampillés du syndrome de la bougeotte sont, comme l'estiment les défenseurs du TDAH eux-mêmes, victimes d'un phénomène de mode[12]. Les variations qui existent entre différents pays révèlent encore combien le diagnostic des enfants est fantaisiste : d'après certaines études, 5,8 % des enfants brésiliens souffrent du TDAH, 7,1 % des petits Finlandais en sont atteints et 14,9 % d'enfants font les fous aux Emirats arabes unis – or, personne ne connaît l'origine de telles différences[13].

Aux Etats-Unis, même si l'on se réfère aux critères de diagnostic figurant sur les fiches d'évaluation réalisées par les défenseurs du TDAH, la moitié des enfants sous méthylphénidate ne seraient pas réellement atteints du syndrome. Au pays des enfants inattentifs, la consommation de méthylphénidate représente 80 % de la consommation mondiale. Le TDAH y fait partie du quotidien, au même titre que Burger King et McDonald's : cinq millions d'enfants environ sont considérés comme souffrant du TDAH. Pour chaque patient reconnu, les écoles américaines reçoivent une prime annuelle de 400 dollars – un dédommagement pour la prise en charge des élèves particulièrement casse-pieds. En 1999, un tribunal a même condamné des parents à administrer le médicament à leur enfant de sept ans. L'entreprise Celltech, qui produit une préparation au méthylphénidate, a fait sa publicité avec ce message réjouissant : "Une seule gélule traite le TDAH pendant toute une journée d'école."

A l'heure actuelle, le National Institute of Mental Health finance même dans des crèches une étude clinique portant sur plus de trois cents enfants à peine sortis des langes. Pendant trois ans, le méthylphénidate doit être administré sous surveillance médicale aux patients, âgés de trois à cinq ans[14].

Pourtant, on ne sait toujours pas de manière univoque si, à long terme, le méthylphénidate permet vraiment aux enfants de mieux apprendre, notamment car l'on ne dispose pour l'instant d'aucune étude de longue durée. D'après les résultats d'une enquête, le traitement médicamenteux n'entraînerait à long terme ni amélioration des résultats scolaires, ni adaptation du comportement social[15].

Pendant ce temps, aux Etats-Unis comme en Allemagne, les médecins, les thérapeutes et les parents s'affrontent joyeusement sur l'existence et l'origine du TDAH. Les hypothèses et les idées qui furent lancées dans une salle comble, lors d'un débat organisé à la clinique Nord, à Hambourg, témoignent du désarroi général. Tandis qu'une mère accusait les médicaments antidouleur utilisés lors de l'accouchement, une psychologue avançait qu'il n'existait plus de frontières nettes dans la société et le médecin qui animait la soirée évoquait le nombre croissant de mères seules.

L'hypothèse bien connue de Hertha Hafer fut elle aussi dépoussiérée pour l'occasion. Il y a trente ans, cette pharmacienne de Mayence affirma avoir identifié comme origine de l'inattention un composant courant de notre alimentation (et du corps humain) : le phosphate. Pour mener à bien ses tests, Mme Hafer choisit à l'époque son fils Herfried, qu'elle nourrit pendant une semaine de charcuterie

135

normale, phosphatée, puis pendant une semaine de charcuterie spéciale sans phosphate.

Résultat de cet essai familial : quand Herfried mangeait de la charcuterie sans phosphate, ses symptômes d'inattention disparaissaient. Des milliers de personnes crurent à la théorie du phosphate : dès six heures du matin, les abattoirs de Hambourg étaient envahis par des parents soucieux venus acheter de la viande extrêmement fraîche – particulièrement pauvre en phosphate, à ce qu'ils croyaient. Le fait que les tentatives scientifiques pour confirmer l'efficacité de ce régime pauvre en phosphate aient maintes fois échoué n'entame en rien la popularité de la théorie : l'ouvrage que Mme Hafer a publié sur le sujet en est à sa sixième édition.

Aujourd'hui, on vante également les mérites de la microalgue *Alphanizomenon flos aquae*, une purée de bactéries considérée comme le dernier cri des remèdes contre le TDAH. En mars 2002, l'Institut fédéral pour la protection du consommateur a vigoureusement mis en garde la population contre ces produits : "aucune preuve scientifique" n'attesterait le pouvoir curatif supposé. En outre, les bactéries seraient susceptibles de contenir des toxines, raison pour laquelle "les enfants ne doivent en aucun cas consommer des produits à base d'*Alphanizomenon flos aquae*."

Bien qu'aucun médecin ne soit capable de reconnaître un patient atteint de TDAH en examinant la structure de son cerveau, l'idée qu'il s'agirait d'un trouble organique a fait de nombreux émules ces dernières années[16]. Pourtant, aucun procédé radiographique ne permet de distinguer les cerveaux d'enfants hyperactifs de ceux d'enfants normaux.

Les scientifiques prétendent avoir fait des découvertes exceptionnelles concernant l'hérédité du syndrome de la bougeotte – ce que certaines entreprises du médicament s'empressent d'emballer dans des théories aberrantes. Le supplément spécial de la revue *Kinderärztliche Praxis* (soutenue financièrement par Novartis), paru sous le titre "Inattentif et hyperactif", s'aventure même à déclarer que l'hyperactivité serait un héritage de l'âge de pierre et aurait été utile autrefois dans le cadre de la chasse : "La symptomatologie du TDAH peut être considérée comme un patrimoine comportemental qui fut avantageux (déterminé génétiquement) dans des temps anciens, mais qui, dans la société moderne actuelle, représente un désavantage et met en danger le développement et l'intégration de l'enfant[17]."

De pareilles spéculations sont accueillies à bras ouverts par les parents d'enfants touchés – parce qu'elles affranchissent les pères et les mères de la crainte d'avoir échoué dans leur rôle d'éducateurs. Pendant le débat qui eut lieu à Hambourg, à la clinique Nord, un soupir de soulagement parcourut l'assemblée lorsqu'un médecin affirma : "Il est complètement faux de penser que le TDAH est causé par l'éducation."

Après s'être demandé pendant des années ce qu'ils avaient fait de travers, les parents trouvent une consolation dans la croyance, de plus en plus répandue, selon laquelle le TDAH serait un phénomène congénital, au même titre que la forme des lobes d'oreille. Irene Braun, institutrice originaire de Franconie et dont le fils à présent majeur est sous Ritaline depuis des années, croit elle aussi aux pouvoirs des gènes et déclare : "Mon fils était déjà différent avant la naissance, il me donnait des coups dans le ventre." A Forchheim, la mère du petit Felix est également convaincue que son fils souffre d'un trouble congénital du métabolisme basal : "Il lui manque un messager dans le cerveau."

Toutefois, les médecins et les biologistes sont tous d'accord sur le fait que l'on ne peut en aucun cas attribuer le TDAH au mauvais fonctionnement d'un gène unique. En réalité, un nombre élevé de gènes encore inconnus influeraient plutôt sur le tempérament et la capacité de concentration d'un enfant.

Par conséquent, même si l'on prétend aujourd'hui par un phénomène de mode que le TDAH serait congénital, cela ne soustrait en rien les parents à leur devoir : car ce sont en premier lieu l'éducation, la famille et l'environnement de l'enfant qui conditionnent le développement ou non d'une prédisposition génétique en réel syndrome plus ou moins sévère. Les pédopsychiatres, tel Benno Schimmelmann, du CHU Eppendorf, à Hambourg, évoquent donc tout au p-lus une "vulnérabilité génétique" de l'enfant.

Bien des parents concernés préfèrent cependant ne pas entendre parler de telles subtilités complexes, mais essentielles. En outre, l'industrie pharmaceutique emploie toutes ses forces à présenter le TDAH comme un trouble exclusivement biologique – que l'on peut donc aisément traiter par un comprimé. Le fabriquant du Medikinet affirme par exemple insolemment dans ses publicités que le méthylphénidate "stimule le métabolisme des neuro-médiateurs".

138

On ne connaît pourtant pas encore très bien l'action réelle du méthylphénidate sur le cerveau des enfants en pleine croissance. Alors que le produit était déjà administré depuis cinquante ans aux patients agités, ce n'est qu'à l'été 2001 que Nora Volkow, psychiatre au Brookhaven National Laboratory de New York, découvrit l'effet du méthylphénidate sur le cerveau : la substance bloque certaines protéines de transport, augmentant alors la concentration de dopamine dans les synapses – et produit ainsi un effet comparable à celui de la cocaïne[18].

LE MÉTHYLPHÉNIDATE LAISSE SES EMPREINTES DANS LE CERVEAU

Si le méthylphénidate administré par voie orale ne semble pas créer de dépendance, parce qu'il agit plus lentement que la cocaïne et ne produit pas l'effet euphorisant propre à cette dernière, il n'en reste pas moins que la molécule relève, comme on l'a signalé plus haut, de la loi sur les stupéfiants : elle doit être prescrite selon les mêmes directives restrictives que la morphine, par exemple – avec une ordonnance en triple exemplaire et l'obligation de conserver la prescription pendant dix ans.

La liste de médicaments (ou "liste rouge") établie par l'Association fédérale allemande de l'industrie pharmaceutique compte, parmi les effets secondaires associés à la prise de Ritaline, des états d'excitation psychomoteurs, des angoisses, des insomnies, un sentiment de persécution. Dans le cas d'un traitement de longue durée, un sevrage brutal pourrait entraîner des phénomènes de privation. Le produit coupe en outre l'appétit de beaucoup d'enfants. Du haut de ses sept ans, la petite Jasmin, qui vit à Norderstedt, dans le Nord de l'Allemagne, a déjà été confrontée à la gravité des effets secondaires. "Elle souffrait de tics nerveux au niveau des mains, se mordait les lèvres jusqu'au sang et, le soir, elle se recroquevillait dans son lit avec des douleurs abdominales", raconte son père. Au bout de trois mois, il a délivré sa fille de la Ritaline et cherche à présent une thérapie non médicamenteuse. Enfin, l'administration continue de méthylphénidate pourrait entraîner un ralentissement de la croissance des enfants : d'après une étude menée sur deux années, la taille des consommateurs assidus serait en moyenne inférieure de 1,5 centimètre à celle des enfants non traités[19].

Nombre de parents et de médecins renoncent ainsi à administrer la pilule d'obéissance par crainte d'éventuels effets à retardement. Les médicaments modifient en effet les conditions dans lesquelles le cerveau de l'enfant se développe. Car un point fait l'unanimité : le méthylphénidate laisse des traces durables dans le cerveau. La substance agit par exemple sur le choix des gènes devant être activés ou désactivés au sein des cellules nerveuses. A Göttingen, un groupe de chercheurs dirigé par le neurologue Gerald Hüther a mis en évidence, dans le cadre d'expériences sur l'animal, des modifications sur le cerveau de rongeurs. Les chercheurs ont administré du méthylphénidate à de jeunes rats, puis les ont laissés grandir avant d'étudier leur cerveau : dans une petite région de l'encéphale, le nombre de transporteurs de la dopamine avait diminué de moitié[20].

D'après Gerald Hüther, ceci pourrait conduire à une carence en dopamine – et ainsi déclencher à long terme une maladie de Parkinson. Dans un article souvent cité et très discuté, le scientifique de Göttingen prévient qu'"en administrant du méthylphénidate à des enfants, on court le risque de favoriser les conditions d'apparition[21]" de la paralysie agitante si redoutée. Là encore, la situation est révélatrice du débat sur le méthylphénidate : Aribert Rothenberger, qui a participé avec Hüther à l'examen des cerveaux des rats, se distancie justement de l'interprétation alarmante qu'en fait son confrère. Les mises en garde de Gerald Hüther fonderaient "leur crédibilité" sur un "mélange de spéculation et de vérité partielle", écrit le directeur du service de pédopsychiatrie de Göttingen dans une lettre ouverte aux parents, qui ne savent alors plus à quel saint se vouer.

Le politologue américain Francis Fukuyama est on ne peut plus fermement opposé à la médicalisation croissante des problèmes infantiles. Aux Etats-Unis, la prescription du méthylphénidate, mais aussi de médicaments contre l'angoisse et les psychoses, de stabilisateurs d'humeur et d'antidépresseurs, a été multipliée par deux en l'espace de dix ans. La FDA a autorisé la prescription de Prozac, prétendue pilule du bonheur, dans le cas de jeunes patients dépressifs et difficiles, âgés de sept à dix-sept ans[22]. Francis Fukuyama maudit cette avalanche de médicaments et exige plus de courage quant à l'éducation. Il concède qu'il est, certes, "difficile de s'entraîner à supporter la douleur et la souffrance". Mais, selon lui, les enfants doivent apprendre à se débrouiller sans psychotropes, même lorsqu'ils sont en grave détresse psychologique. Seule l'expérience des abîmes humains permet en effet l'existence de "sentiments positifs" tels que la sympathie, l'empathie, le courage ou la solidarité. Francis Fukuyama critique donc tout traitement psychique médicamenteux. La société moderne encourrait en effet le risque de se priver de sa propre évolution en tentant de créer à l'aide de psychotropes un être uniforme, toujours apte à fonctionner. "Le large éventail des sentiments d'inconfort et de malaise peut également être le point de départ de la créativité, du miracle et du progrès."

Aux yeux de Francis Fukuyama, le méthylphénidate est donc un simple "moyen de contrôle social". Selon lui, le médicament allège la "charge des parents et des enseignants et ôte la responsabilité de leur comportement aux patients qui ont été diagnostiqués". Autrefois, on forgeait le caractère par "l'auto-discipline et la volonté de combattre ce qui est désagréable ou mauvais, se plaint le politologue. Aujourd'hui, on se sert d'un sigle pour parvenir au même résultat[23]."

Il est pourtant possible d'aider les enfants sans avoir recours aux médicaments, par exemple par de simples modifications de la vie quotidienne. L'histoire de ce jeune Anglais, qui allait à l'école à la fin du XIXe siècle et serait aujourd'hui certainement considéré comme hyperactif, pourrait faire exemple : afin de calmer son énergie débordante, l'enfant remuant et ses enseignants décidèrent d'un commun accord que le jeune garçon serait autorisé à faire le tour de l'école en courant à la fin de chaque heure de cours, ce qui améliora notablement le quotidien – aussi bien celui de l'élève que celui de ses enseignants. Le héros de cette histoire a par la suite complètement renoncé à la pratique sportive. Son nom : Winston Churchill[24].

VII

LE SYNDROME "FEMME"

Le 27 juillet 1872 marque un épisode sanglant de la gynécologie : Alfred Hegar, professeur de gynécologie et d'obstétrique à Fribourg, procédait à l'ablation des deux ovaires sains sur une patiente de vingt-sept ans originaire de Kenzingen, parce que celle-ci se plaignait de douleurs abdominales pendant ses règles. La patiente avait "elle-même demandé l'opération après que tous les traitements locaux possibles et toutes les cures agissant sur le corps dans son ensemble eurent été tentés sans le moindre résultat pendant deux longues années[1]". Quelques jours après l'intervention, la patiente décédait d'une péritonite.

L'opération fatale témoigne de l'avènement d'une gynécologie agressive. Jusque-là, les gynécologues s'étaient contentés de pratiquer une médecine plutôt douce, mais en raison des progrès de la chirurgie, ils se lancèrent au cours du XIXe siècle dans des opérations plus sérieuses. Ainsi, l'ovariectomie, c'est-à-dire l'ablation d'un ou des deux ovaires, connut alors ses heures de gloire. L'ablation de l'utérus (ou hystérectomie) devait bientôt venir enrichir elle aussi le répertoire des gynécologues.

Ces amputations avaient pour but de traiter des problèmes physiques, mais aussi et surtout psychiques. De 1850 à 1900, une école de gynécologues et de psychiatres défendait en effet la représentation selon laquelle "des états et processus pathologiques au niveau des organes sexuels féminins pourraient être à l'origine de la folie", ainsi que le formulait le gynécologue allemand Louis Mayer[2]. Selon cette thèse, la meilleure façon de venir à bout d'un état de folie lié au bas-ventre était de procéder à une opération radicale.

Depuis cette phase obscure, la gynécologie n'a cessé de se développer. Aujourd'hui, les phases naturelles de bouleversement sont toutes considérées chez les femmes comme des problèmes médicaux : la puberté, la grossesse, la naissance, les jours précédant la menstruation ("syndrome prémenstruel"), la menstruation elle-même et, bien entendu, la ménopause. "Le point décisif n'est pas tant que l'on prescrive à des patientes des médicaments pour traiter une maladie ou atténuer une douleur, constate la psychologue Petra Kolip, mais que les frontières des définitions de «bien portant» et «malade» se soient déplacées, de sorte que des processus physiologiques qui furent un temps définis comme «normaux» sont aujourd'hui considérés comme pathologiques, ce qui a considérablement élargi le champ d'intervention de la médecine – pas toujours au bénéfice des patientes[3]."

La stérilité est elle aussi considérée comme une pathologie ; les caisses d'assurance maladie financent en tout cas les premières tentatives dans le labyrinthe de la médecine reproductive. Des techniques de plus en plus subtiles ont été développées dans les années passées pour combler le désir d'enfant des couples. En Allemagne, il naît ainsi en moyenne un enfant toutes les cinquante minutes grâce à la procréation médicalement assistée.

L'une des plus anciennes évocations de la notion de "médicalisation" apparaît d'ailleurs dans le contexte de la gynécologie, dans un article paru en 1970 dans le *New England Journal of Medicine*. Celui-ci explique comment de jeunes adolescentes ayant une activité sexuelle sont traitées par les médecins : ils examinent le corps, le sexe et les dents des patientes, et contrôlent les valeurs du sang et de l'urine. Suit une visite à domicile par une infirmière. A l'époque déjà, on signalait qu'il s'agissait là "d'une médicalisation de la sexualité vraisemblablement dénuée de sens[4]".

CONDAMNÉE AU GYNÉCOLOGUE A PERPÉTUITÉ

Il apparaît aujourd'hui parfaitement naturel qu'une jeune fille se rende chez le médecin dès ses premières règles. Celui-ci contrôle alors que "tout fonctionne bien". Ce lien précoce à la médecine ne s'est pas développé par hasard : en 1978, dans le but d'attirer une nouvelle clientèle, un "groupe de travail sur la gynécologie infantile et juvénile" fut en effet fondé. Auparavant, des entreprises du médicament avaient, par l'intermédiaire de brochures, conseillé aux gynécologues de mettre en place des consultations spécialement réservées aux adolescentes – afin de créer le plus tôt possible un lien entre le cabinet médical et les femmes de demain. Aujourd'hui, les entreprises s'adressent directement aux jeunes filles, par exemple dans des revues gratuites disponibles dans la salle d'attente du gynécologue. "Renseignez-vous auprès de la secrétaire sur la consultation pour les jeunes", conseille le prospectus *Women's Health*, dont la publication reçoit, d'après les mentions obligatoires, le soutien exclusif de la SARL Grünenthal. "Le gynécologue, explique l'éditorial, accompagne toutes les phases de la vie. Il n'est pas rare que le médecin et la patiente parcourent ensemble un long chemin – de l'adolescence à la vieillesse[5]."

Le premier passage sur la table d'examen est ainsi souvent ressenti dans les cercles féminins comme un rite d'initiation du monde occidental. La sociologue Eva Schindele considère la première visite de la jeune fille chez le gynécologue comme l'"entrée dans une culture au sein de laquelle sa féminité sera définie et contrôlée par des hommes".

Et, en effet, ce sont communément des médecins hommes qui déterminent quels sont chez la femme les processus et états physiologiques devant être désignés comme pathologiques. Dès la fin des années 1960, un médecin américain du nom de Wright plaidait en faveur du retrait de l'utérus chez les femmes d'âge mûr, par simple mesure préventive : "L'utérus devient un organe inutile, sanglant, douloureux et éventuellement cancérogène, qu'il faut par conséquent retirer[6]."

L'ablation de l'utérus est aujourd'hui l'intervention la plus fréquemment pratiquée chez la femme de plus de cinquante ans. "A croire que la perte de l'utérus fait partie intégrante de la ménopause, comme s'il devenait, à un moment précis de la vie d'une femme, un organe inutile", conclut Klaus Müller, spécialiste de la santé publique[7].

En Allemagne, on procède chaque année à quelque 160 000 ablations de l'utérus – au moins 60 000 de ces interventions étant jugées superflues par des experts. En général, le retrait de l'utérus a pour but d'améliorer la qualité de vie. Il ne s'agit que dans 10 à 15 % des cas de lutter contre des maladies graves, voire mortelles, telles que le cancer. Des règles irrégulières ou abondantes, des douleurs ou des sensations de compression dans le bas-ventre sont en revanche des indications fréquentes. Toutefois, ce genre de symptôme peut également apparaître en l'absence de tout élément pathologique, ainsi que l'a montré une étude britannique. Celle-ci portait sur des femmes ayant subi une hystérectomie pour remédier à des règles irrégulières. Dans 40 % des cas, il s'est ainsi avéré que les organes amputés étaient parfaitement sains[8].

Entre quarante et cinquante ans, des tumeurs bénignes se développent sur la paroi utérine chez une femme sur cinq environ, l'apparition de ce type de myomes étant alors la raison la plus fréquente de procéder à une intervention chirurgicale. La croissance de ces tumeurs est favorisée par une hormone sexuelle, l'œstrogène. La production d'œstrogènes diminuant dans le corps au moment de la ménopause, la croissance des myomes est alors stoppée et ces derniers vont parfois même jusqu'à se résorber. Or, ce processus physiologique bienfaisant n'a pas lieu lorsqu'un traitement hormonal substitutif est utilisé à la ménopause. L'apport durable d'œstrogènes permet aux myomes de poursuivre leur croissance, si bien qu'"à partir d'une certaine taille et d'une certaine extension, et en raison de douleurs et d'une gêne pour les organes voisins, l'ablation de l'utérus est inévitable", ainsi que le déclare Klaus Müller. La médicalisation de la ménopause entraîne donc des affections consécutives réelles.

Le nombre d'hystérectomies pratiquées est en outre directement déterminé par le corps médical : en Allemagne, dans le cadre de la formation médicale continue, les gynécologues devaient autrefois avoir pratiqué une trentaine d'hystérectomies. L'opération fut ensuite retirée de l'ordre du jour de la formation – et, très vite, le nombre d'organes amputés diminua. En France, par exemple, les hystérectomies sont bien plus rares qu'en Allemagne[9]. Les différences sont liées au contexte culturel : les médecins français placent plus volontiers l'individu tout entier au centre du traitement et s'efforcent ainsi de considérer le corps dans sa totalité, le "terrain".

Les normes et les préférences imposées par les médecins priment donc aujourd'hui sur la nécessité médicale : l'utérus n'a qu'à bien se tenir !

UN NOUVEAU CALENDRIER MENSTRUEL

"La douleur des femmes de moi s'est emparée, plaise aux dieux que j'en fusse enfin délivrée" – tels sont les mots qu'une Babylonienne a gravés sur une ardoise d'argile, aux alentours de 3000 av. J.-C.[10]. La disparition des règles, que cette femme appelle de tous ses vœux, n'est pas loin de se produire : des médecins, et non des dieux, ne voyant plus l'utilité de ce processus naturel, ont en effet décidé d'abolir la menstruation. "C'est une perte de sang inutile", écrit le Brésilien Elsimar Coutinho, médecin spécialiste de la reproduction[11]. Pire encore : les saignements menstruels nuiraient même à la santé des femmes. "De nombreuses femmes ont une vie épuisante et difficile", explique David Grimes, médecin à l'université de Californie du Nord[12]. Par conséquent, rien ne s'opposerait à ce que l'on tente au moins d'abolir la menstruation.

Le nouveau système menstruel est simple à mettre en place : pour empêcher l'apparition de leurs règles pendant des mois, voire pendant des années, il suffit aux femmes de prendre des hormones chaque jour, sans interruption, sous la forme d'une banale pilule contraceptive. Le conditionnement du produit est toutefois conçu pour que la patiente cesse de prendre les comprimés au bout de vingt et un jours ou ne prenne plus que des comprimés sans principe actif. Le taux hormonal baisse alors rapidement, et la femme saigne. Ces saignements liés à la privation hormonale n'ont presque plus rien de commun avec la menstruation naturelle et sont même complètement absents chez des millions de femmes – un effet secondaire de la pilule.

Elsimar Coutinho et ses partisans souhaitent faire de cette exception une règle absolue. Les femmes ne devraient plus prendre la pilule pour contrôler les naissances, mais afin de profiter, en l'absence de règles mensuelles, d'une vie plus confortable et prétendument plus saine. Ces médecins présentent la menstruation comme le pire fléau de la gent féminine et ajoutent encore aux indéniables douleurs et troubles qui accompagnent les règles (dysménor-rhée) un prétendu "syndrome prémenstruel", couvrant les jours difficiles qui précèdent les règles.

Les premiers produits anti-menstruation sont d'ores et déjà sur le marché. Des sachets hormonaux implantés sous la peau ou des injections "dépôt" bloquent les saignements pendant des semaines. La préparation Seasonale, que l'entreprise américaine Barr Laboratories tente de mettre sur le marché, fonctionne de manière similaire. Le médicament contient le même principe actif qu'une pilule classique, mais offre aux femmes un cycle de quatre-vingt-onze jours : la patiente ingère des hormones pendant quatre-vingt-quatre jours, puis sept pilules sucrées – et n'a ainsi ses règles que quatre fois par an. Les chercheurs de l'industrie pharmaceutique estiment cette fréquence nécessaire à la qualité de vie des femmes et à leurs possibilités de carrière[13].

"Quand les patientes et les médecins auront pris conscience de ses avantages, la pilule ne se prendra plus que sous cette forme", déclare Patricia Sulak, de l'université A & M, au Texas. L'objectif professionnel que s'est fixé cette gynécologue est tout bonnement d'"éliminer les saignements menstruels[14]".

Afin de justifier leur intervention sur le cycle, les chercheurs déclarent que la femme d'aujourd'hui est le produit dégénérescent de l'évolution. Selon eux, il serait contre nature que les femmes des pays industrialisés aient quatre cent cinquante fois leurs règles au cours de leur vie. Les femmes de la préhistoire ne saignaient en effet que cent soixante fois. Mais la comparaison est bien bancale : d'une part, nos ancêtres féminines avaient une espérance de vie beaucoup plus réduite et, d'autre part, elles étaient plus fréquemment enceintes.

UNE MALADIE NOMMÉE GROSSESSE

En Allemagne, la grossesse fait de plus en plus souvent intervenir la médecine. Dans les vingt dernières années, le nombre d'examens médicaux préventifs que subit la femme enceinte a par exemple augmenté de 500 %, d'après les calculs de la sociologue Eva Schindele[15]. Statistiquement, avoir une "grossesse à risque" est déjà considéré comme normal : bien plus de la moitié des futures mères sont aujourd'hui classées dans cette catégorie.

Pourtant, l'état de santé des femmes enceintes est loin de s'être dégradé dans les dernières décennies. L'escalade des risques s'explique plutôt par le zèle des médecins, qui appliquent des normes toujours plus sévères à cet événement naturel qu'est la grossesse. Pour une grossesse se déroulant normalement, la patiente devra se présenter dix fois chez son médecin. A intervalles de quelques semaines, celui-ci contrôle le poids, mesure la pression artérielle, ordonne des analyses d'urine et des examens sanguins. L'utérus, le rythme cardiaque de l'enfant et la position du fœtus sont également contrôlés. La patiente dont les résultats diffèrent des normes fixées arbitrairement gagne une petite croix sous la rubrique "grossesse à risque" de son carnet de grossesse.

Dans ce petit cahier sont aujourd'hui recensés cinquante-deux critères de risque différents. Les primipares âgées de moins de dix-huit ans ou de plus de trente-cinq ans sont dès le départ considérées comme menacées. De même que les femmes dont le poids dépasse de 20 % le poids défini comme normal. Des événements antérieurs, tels qu'une césarienne, une grossesse multiple ou la naissance d'un enfant handicapé, retiennent également toute l'attention de la médecine. Enfin, les gynécologues eux-mêmes constituent un facteur favorisant les risques. En effet, plus la densité des cabinets médicaux est élevée, plus le nombre de grossesses à risque est grand, comme l'a montré une étude menée en Sarre.

Le flot de risques inquiète bien sûr les femmes enceintes. Et il n'est pas impossible que cette simple évocation – comme une prophétie conditionne sa propre réalisation – entraîne parfois réellement des complications. Une attitude détendue face à la grossesse semble en tout cas ne nuire en rien à cette dernière. En Scandinavie et aux Pays-Bas, le taux de grossesses à risque n'atteint que 20 %, sans doute parce que les sages-femmes y jouent plus qu'ailleurs un rôle important dans la prévention. Aux Pays-Bas, l'anesthésie ou l'épisiotomie pratiquée de manière préventive restent l'exception dans le cadre d'accouchements normaux, même à l'hôpital. Le taux de césariennes y est à peine de 10 % – et le taux de mortalité néonatale aussi bas qu'en Allemagne.

TU ENFANTERAS SANS DOULEUR

"Victoria Beckham, vingt-sept ans, sait dès à présent la date exacte à laquelle elle accouchera de son deuxième enfant : le 1er septembre. D'après les informations du *Mirror*, l'ancienne Spice Girl aurait choisi cette date pour sa césarienne, prévue dans une clinique privée de Londres, car elle se situe juste entre deux matchs de football de David Beckham." *Süddeutsche Zeitung*, 19 août 2002.

"Romeo Beckham est né. Le deuxième fils de l'ex-Spice Girl Victoria et de la star du football David Beckham a vu le jour hier." *Süddeutsche Zeitung*, 2 septembre 2002.

Vingt minutes d'anesthésie, une petite incision dans l'abdomen – et voilà déjà l'enfant dans les bras de sa mère. La césarienne, autrefois tant redoutée, a le vent en poupe. 43,2 % des Allemandes se décideraient volontiers pour une opération de ce type[16]. Le taux de césariennes augmente à grande vitesse : alors qu'au niveau national, il n'était que de 6 % au début des années 1980, il atteint aujourd'hui 20 %, et même 28 % dans certaines cliniques universitaires.

Certes, la plupart des opérations sont encore pratiquées parce que les médecins estiment qu'il en va de la santé de la mère ou de l'enfant. Mais on estime que la proportion de femmes qui se soumettent de leur propre gré au scalpel se situe déjà entre 6 et 8 %. "Certains couples viennent me voir en consultation et s'informent en premier lieu sur la césarienne", rapporte Hans-Jürgen Kitschke, directeur de la clinique gynécologique d'Offenbach[17].

La première césarienne à laquelle survécurent la mère et l'enfant aurait été pratiquée en 1500 par un certain Jakob Nufer, à Siegershausen, en Suisse. L'homme était un maître du couteau bien aiguisé – puisque son métier était de castrer les cochons (les porcins castrés engraissent plus rapidement). Depuis des jours, l'épouse de Nufer endurait les souffrances d'un accouchement difficile auxquelles treize sages-femmes et plusieurs chirurgiens n'avaient pu mettre fin. Le castrateur décida alors de passer à l'action. On peut ainsi lire dans un récit : "L'homme verrouilla alors la porte, implora l'assistance et le soutien de Notre-Seigneur, déposa son épouse sur la table et, pareillement à un porc, lui ouvrit le ventre."

La tradition veut que l'acte désespéré ait connu un heureux dénouement. "Et la première incision dans le ventre fut si parfaite et réussie que l'on put céans extraire l'enfant intact." La blessure de la mère fut refermée "comme l'on sait réparer les vieux souliers". La femme guérit[18].

En dehors de ce cas unique, la césarienne resta durant des siècles le cauchemar des femmes. Dans l'Europe du XIXe siècle, seuls 14 % des femmes survivaient à une telle opération. En 1876, un gynécologue milanais, Edoardo Porro, devait faire changer les choses en inaugurant une nouvelle méthode. Pour la première fois, il dégagea l'enfant en même temps que l'utérus et réussit à stopper l'hémorragie. Grâce à cette technique, la moitié des femmes survivaient à leur césarienne.

La voie *"inter faeces et urinam"* (entre les excréments et l'urine) était considérée jusqu'à il y a peu comme la voie royale de la naissance. Dans les années 1970, 3 à 5 % seulement des enfants naissaient par césarienne dans la plupart des pays industrialisés. Les hôpitaux dans lesquels les médecins avaient fréquemment recours au bistouri avaient en outre mauvaise réputation : dans leurs salles de travail, on ne maîtrisait apparemment pas totalement l'art de l'obstétrique. L'accouchement par césarienne était jugé dangereux et l'on plaignait la mère qui avait dû subir ce type d'accouchement – sous anesthésie générale, la pauvre avait "loupé" la naissance de sa "fleur coupée". Sans compter qu'elle devait rester jusqu'à deux semaines à l'hôpital et supporter une cicatrice douloureuse.

Au Brésil, la couche supérieure de la population estime qu'il est bien peu distingué d'accoucher par voie vaginale – à Rio, quatre-vingt-cinq femmes sur cent accouchent par césarienne et conservent ainsi un "vagin de jeune fille". Dans la ville mexicaine de Monterrey, les futures mamans font imprimer les faire-part de leurs enfants à l'avance – date de naissance comprise. "Dans des pays comme ceux de l'ex-Union soviétique, environ 96 % des naissances sont naturelles, déclare Viviane Brunet, gynécologue mexicaine. Les gens ont l'habitude, là-bas. Mais pas chez nous[19]." De même, aux Etats-Unis, une femme enceinte sur trois qui bénéficie d'une assurance privée se conforme au slogan : *"Preserve your love channel – take a cesarean."* (Préservez la voie de l'amour – choisissez la césarienne.) En Thaïlande, enfin, nombreuses sont les femmes qui ont recours à la césarienne afin que l'enfant voie le jour à la date préalablement choisie par un voyant.

Dans le *British Medical Journal*, des experts constatent que la naissance, processus physiologique normal, est devenue ces dernières années un "événement médical orchestré par un gynéco-logue[20*]".

Un sondage mené auprès de sages-femmes a même révélé que 31 % d'entre elles n'accouchaient les patientes que par césarienne, même dans le cas de grossesse unique sans problème. "L'accouche-ment par césarienne est aujourd'hui devenu un «traitement alternatif» sérieux à l'accouchement par voie vaginale, commente Peter Husslein, de la cli-nique gynécologique universitaire de Vienne. Le but d'une obstétrique moderne est par conséquent d'offrir à chaque femme la possibilité de vivre l'ac-couchement qu'elle souhaite[21]."

Une concurrence sévère règne entre les salles de travail, car le nombre de naissances diminue chaque jour. Voilà aussi pourquoi les médecins offrent aux femmes enceintes plus que le strict nécessaire médi-cal. "Proposer aux femmes l'accouchement le plus confortable qui soit, explique le gynécologue d'Offenbach Hans-Jürgen Kitschke, permet souvent d'empocher une prime, et pour un accouchement par césarienne, les caisses d'assurance maladie paient elles aussi le double." Une césarienne coûte en moyenne 1 500 euros de plus qu'un accouchement normal.

---

* Il est intéressant de voir que les psychiatres tentent eux aussi de tirer profit de la technologisation de la naissance. Sous le titre *La Naissance : un traumatisme*, la Société alle-mande de psychiatrie, de psychologie et de neurologie affirme qu'après une césarienne, "des dépressions graves et persis-tantes" guettent les mères. Et plus loin : "Des problèmes d'al-laitement durables et des nourrissons pleurant beaucoup peuvent en être la conséquence[22]."

L'Organisation mondiale de la santé (OMS) considère d'après des critères médicaux qu'un taux de césariennes de 15 % est normal (pour mémoire : en Allemagne, il est de 20 %). Dépasser ce taux en offrant un supplément de médecine n'est pourtant en aucun cas garant d'une meilleure santé. Aux Pays-Bas et en Suède, le taux de césariennes se situe entre 10 et 12 %, sans que ni les mères, ni les nouveau-nés subissent de conséquences néfastes.

La césarienne sur commande présente en revanche de plus gros risques qu'un accouchement normal. Environ 20 % des patientes qui ont subi cette opération de leur propre initiative sont sujettes à des fièvres à la suite de l'infection de la plaie. Et 2 % des bébés qui prennent le chemin apparemment le plus facile sont blessés au visage par le bistouri et naissent avec une balafre[23]. En dépit des progrès qu'ont connus les techniques chirurgicales et anesthésiques, il meurt deux fois plus de femmes lors d'une césarienne que lors d'un accouchement normal. Une parturiente sur dix-sept mille meurt à la suite d'une césarienne ; une sur quarante-sept mille après un accouchement par voie vaginale[24]. En outre, l'accouchement par césarienne alourdit les dépenses du système de santé. En Allemagne, si le nombre de césariennes augmente de 1 %, le système devra faire face à une augmentation dramatique de ses dépenses. Birgit Seelbach-Göbel, médecin-chef à la clinique gynécologique Saint-Hedwig de Regensburg, déclare : "La seule solution conséquente est que les femmes qui désirent accoucher par césarienne financent elles-mêmes leur souhait[25]."

La marche triomphale de la césarienne ne semble pourtant pas devoir connaître de limites. Au printemps 2002, la Société allemande de gynécologie et d'obstétrique a donné son feu vert pour la "césarienne sur demande". Une prise de position explique : "Même là où l'indication thérapeutique pour une césarienne ne se présente pas, mais où cette dernière n'est évidemment pas non plus contre-indiquée, l'obstétricien est autorisé à répondre à la demande sérieuse et insistante de la femme qui souhaiterait une césarienne[26]."

L'URINE DE JUMENT, ÉLIXIR MIRACLE

La ménopause a beau être une phase naturelle dans la vie d'une femme, l'establishment médical ne l'a jamais considérée comme utile. "La ménopause est la période la plus désagréable dans la vie des couples, déclarait en 1910 le médecin slovaque Arnold Lorand. Pas seulement pour la femme qui est directement affectée, mais aussi, dans une mesure presque égale, pour l'homme, qui doit user de la plus grande patience." Par chance, le même Dr Lorand pensait avoir découvert un remède contre les désagréments de la ménopause. Des extraits d'ovaires de truie auraient ainsi eu la capacité de "repousser le vieillissement de quelques années" ou du moins d'"adoucir ses effets, lorsque cet âge terrifiant s'est d'ores et déjà installé".

Peu après, dans les années 1940, les laboratoires pharmaceutiques se mirent à produire en grande quantité l'œstrogène si convoité, non plus à partir de porcins, mais à partir de l'urine de juments pleines (ce qui a donné son nom à un produit célèbre : le Premarin, dont l'origine est pre*gnant* ma*res' u*rine).

En 1960, le *New England Journal of Medicine* recommandait la prise d'hormones à "toute femme présentant un manque d'œstrogène attesté" – c'est-à-dire à presque toutes les femmes de plus de cinquante ans.

Il fallut pourtant attendre la parution aux Etats-Unis, en 1966, du best-seller *Feminine Forever* pour voir l'hormone sexuelle animale se transformer en une drogue de masse. Le jeune Robert Wilson, gynécologue new-yorkais, décrit dans cet ouvrage l'urine de jument comme un remède miracle, prometteur d'une jeunesse éternelle. "Pour la première fois dans l'histoire, les femmes, égales biologiques des hommes, peuvent prendre part aux promesses de demain… Grâce à la thérapie hormonale, elles peuvent compter sur un bien-être accru et une jeunesse durable."

Robert Wilson accomplit également sa mission auprès du corps médical. "A cinquante ans, il n'y a plus d'ovules, plus de follicules, plus de thèques, plus d'œstrogène – une véritable catastrophe galopante", assurait-il doctement dans une revue médicale, en 1972. Heureusement, les œstrogènes viennent au secours de ces femmes. "Ni les seins, ni les organes génitaux ne se flétriront. Partager la vie de ces femmes sera particulièrement agréable, et elles ne deviendront ni bêtes, ni vilaines[27]."

Ce que personne ne savait encore à l'époque, c'est que le laboratoire pharmaceutique Wyeth-Ayerst avait financé les dépenses de Wilson liées à la rédaction de son livre. Par la suite, l'entreprise sponsorisa également sa Wilson Research Foundation, dont les bureaux étaient situés sur Park Avenue, à Manhattan. En outre, elle rémunérait le médecin pour les conférences sur son abécédaire hormonal qu'il tenait devant des associations de femmes.

Ces relations ne furent rendues publiques qu'en 2002, par le fils de Robert Wilson, Ronald Wilson. Le laboratoire Wyeth-Ayerst, devenu depuis Wyeth, était alors déjà le plus grand fabricant d'hormones au monde. Médecin à Zurich, Barbara Wanner commente : "Il est intéressant de remarquer que la définition de la ménopause comme maladie est apparue exactement au moment où étaient disponibles des hormones de synthèse susceptibles de traiter cette maladie nouvellement définie[28]."

Des millions de femmes se sont laissé duper par cette propagande. Les œstrogènes furent décrits comme une substance indispensable à la vie – et le fait que beaucoup de femmes survivent pendant quarante ans sans cette substance ne fut pas même évoqué. En 1981, l'OMS se plia d'ailleurs à la nouvelle définition de la ménopause, la désignant comme maladie du déficit œstrogénique. Quant au fait que bien des femmes âgées sont en parfaite santé et qu'elles vivent en moyenne plus longtemps que les hommes, cela ne semblait pas être à l'ordre du jour du débat.

Pour les Occidentales d'âge mûr, la prise d'hormones fait aujourd'hui partie du quotidien. Aujourd'hui même, en Allemagne, environ 4,6 millions de femmes de plus de quarante-cinq ans avaleront des préparations hormonales. Elles semblent avoir oublié ou même ne pas avoir connaissance du risque de cancer, évoqué pour la première fois dans les années 1970. Deux études de grande ampleur insinuaient à l'époque que l'œstrogène serait susceptible d'augmenter le risque de cancer de l'utérus. Mais ce "détail" ne risquait pas de mettre fin à la carrière des hormones. Des médecins et des fabricants présentèrent rapidement une nouvelle préparation, combinaison d'œstrogène et de progestérone, l'hormone sécrétée par le corps jaune. Pourtant, au milieu des années 1990, ces préparations combinées tombèrent elles aussi en discrédit : il devenait en effet de plus en plus évident que ce mélange hormonal augmentait le risque de cancer du sein.

Mais une fois encore, les laboratoires pharmaceutiques et les gynécologues surent habilement dissiper les peurs. A la fin de l'année 2000, la Société allemande de gynécologie et d'obstétrique annonçait ainsi, avec six autres associations professionnelles, que "la mortalité des femmes postménopausées peut être diminuée de 50 % grâce aux substituts hormonaux, ce qui a principalement pour origine l'action positive des préparations œstrogéniques sur le système cardiovasculaire. Les substituts hormonaux permettent même de réduire le taux de mortalité liée aux carcinomes de 30 % environ[29]." Des millions de femmes font depuis confiance aux médecins et continuent de prendre sagement leurs hormones.

Les hormones administrées artificiellement interviennent dans un processus de transformation naturel du corps. Quatre ans avant la ménopause proprement dite, la concentration des différentes hormones dans le corps commence déjà à diminuer. Au moment de la ménopause même – les femmes sont alors en moyenne âgées de cinquante ans –, le corps freine la production de progestérone, l'hormone de grossesse, et d'œstrogène. Cette dernière est l'hormone féminine la plus importante ;

elle agit sur les organes sexuels, commande le cycle menstruel et influe également sur la formation de l'os et la décalcification. Certaines femmes ressentent cette phase de leur vie comme une période particulièrement désagréable : elles se plaignent alors principalement de transpirations nocturnes abondantes et de bouffées de chaleur, de problèmes de circulation, de troubles du sommeil, de sécheresse vaginale et de nervosité.

PAS DE BOUFFÉES DE CHALEUR POUR LES JAPONAISES

Ce que les médecins, dans le monde occidental, qualifient de "syndrome ménopausique" est un phénomène quasiment inexistant au Japon. Il y a quelques années, quand Margaret Lock, de l'université McGill de Montréal, se mit à enquêter sur le sujet, elle rencontra surtout de l'incompréhension. Sur les 1 225 femmes âgées de cinquante ans environ qu'elle interrogea, seuls 15 % évoquèrent des sueurs nocturnes et des bouffées de chaleur. Les gynécologues japonais déclarèrent froidement que le climatère et ses désagréments étaient un problème purement occidental. Depuis peu, quelques Japonaises désœuvrées issues des couches favorisées de la population se compliquent la vie avec cette idée fixe – une simple mode[30].

En Allemagne, quiconque s'oppose au traitement hormonal substitutif passe en revanche pour un imbécile. L'administration d'œstrogènes ou d'œstroprogestatifs fait partie des classiques de la médecine – et coûte aux caisses de maladie d'Allemagne la bagatelle de 500 millions d'euros par an.

L'utilité des hormones semble du moins attestée pour une prise de courte durée. De nombreuses femmes se sentent déjà mieux quand leurs problèmes sont pris au sérieux et que l'on tente d'y remédier.

Il y a vingt ans, la femme ménopausée était décrite comme une femme maladive, effacée et dépressive. Mais les médecins comme les laboratoires pharmaceutiques ne voulaient pas se contenter de prescrire des hormones aux seules femmes qui se sentaient mal. C'est pourquoi, depuis les années 1980, ils se sont efforcés d'esquisser un nouveau portrait du climatère. Le retour d'âge fut ainsi présenté non plus comme une phase désagréable, mais comme un potentiel de risques pour une foule de maladies. Les annonces publicitaires de l'industrie pharmaceutique témoignent de ce revirement. La "femme ménopausée" apparaît à présent comme un être dynamique et soigné – mais dont la position enviable est menacée ! Afin de ne pas entamer leur capital santé, les femmes d'âge mûr feraient bien, *dixit* les slogans publicitaires, de prendre des hormones jusqu'à la fin de leurs jours. "Ce nouveau message a d'ores et déjà fait son chemin, déclare Barbara Wanner, médecin à Zurich. Des femmes en bonne santé viennent dès à présent consulter et se renseigner sur les risques[31]."

Ces dernières années, les préparations hormonales, glorifiées par le corps médical, sont devenues de véritables comprimés miracle. A l'automne 1991, des épidémiologistes de la Harvard Medicine School de Boston rendirent par exemple compte du fabuleux effet protecteur de l'œstrogène. D'après leur étude, menée pendant dix ans sur 48 470 infirmières, la prise d'œstrogène diviserait presque par deux le risque d'infarctus. Et le directeur de l'étude, Meir Stampfer, de s'enthousiasmer : "Même les femmes en bonne santé devraient pour cette raison prendre des œstrogènes après la ménopause."

Exactement au même moment, un groupe de chercheurs de la clinique gynécologique universitaire d'Ulm tentait de dissiper le soupçon, souvent émis, selon lequel une prise prolongée d'œstrogène pourrait favoriser le cancer du sein ainsi que l'apparition de tumeurs de la muqueuse utérine. Les médecins, dirigés par Christian Lauritzen, observèrent 1 402 femmes sur une période de vingt et un ans et conclurent que, dans le cas des prescriptions courantes d'œstroprogestatif, ce risque était précisément exclu. Mieux encore : la prise à dose réduite des deux hormones sexuelles féminines aurait même laissé apparaître une diminution de la fréquence des cancers.

Les médecins d'Ulm affichaient en public un optimisme sans faille. Ils apportaient enfin la preuve que "le traitement substitutif aux œstrogènes sur une période prolongée a des avantages considérables : le métabolisme tout entier est influencé positivement". Dans le traitement de la femme ménopausée, les gynécologues étaient donc invités à faire plus souvent "ce que font d'habitude chaque jour les médecins – corriger la nature[32]".

L'euphorie ne cessa de croître. Les œstrogènes, disait-on, seraient également utiles dans la lutte contre l'ostéoporose, perte osseuse liée à l'âge, la maladie d'Alzheimer et même le cancer du côlon. Ils constitueraient un moyen peu coûteux d'empêcher les affections chroniques. Il n'était pas rare alors que les femmes restées malgré tout sceptiques soit jugées irresponsables – y compris vis-à-vis de la société. Dans le cadre de la consultation de la femme ménopausée, le laboratoire Janssen-Cilag mit à disposition des médecins suisses des imprimés en couleurs affirmant que le traitement hormonal substitutif réduisait de 75 % le risque de fractures, de 54 % le risque d'alzheimer et de 44 % le risque de maladies cardiovasculaires[33].

Le professeur Christian Lauritzen, dont l'influence sur ses confrères installés était considérable, récidiva en 1996 : "L'administration durable d'œstrogènes permet de prévenir les conséquences à long terme d'un déficit œstrogénique (telles que les fractures ostéoporotiques, l'infarctus et l'attaque cérébrale) et constitue par là même l'un des progrès les plus importants qu'a connus la médecine préventive ces dix dernières années[34]." A Francfort, le médecin Herbert Kuhl exigeait quant à lui que les autorités assouplissent les règlements relatifs aux mises en garde figurant sur les notices des médicaments. Celles-ci auraient pour seule conséquence que les femmes refusent le traitement hormonal ou l'interrompent prématurément. En 1994, le Dr Kuhl confiait son mécontentement au *Deutsches Ärzteblatt* : "Ces restrictions ont des effets négatifs sur la prévention de maladies très répandues telles que l'ostéoporose, l'artériosclérose et l'infarctus[35]."

Pourtant, les déclarations relatives au pouvoir curatif des hormones ne reposaient en aucun cas sur des données purement scientifiques. Une partie des résultats favorables s'explique par exemple par ce que l'on appelle l'effet *"healthy user"* : les femmes sous traitement hormonal durable vivent souvent de manière plus saine, ont moins de facteurs de risque et leur état de santé était déjà meilleur avant le traitement.

LE MYTHE DE L'HORMONE BIENFAISANTE S'EFFONDRE

Aux Etats-Unis, l'entreprise Wyeth s'attela en 1990 à faire officiellement reconnaître ses hormones comme remède préventif contre les affections cardiaques. Un comité de conseillers de la FDA avait déjà donné son accord, mais fut finalement mis en minorité par les sceptiques de la même autorité. Ceux-ci désiraient avoir des données plus précises et suggérèrent au requérant de procéder à des essais cliniques.

Wyeth lança une étude qui ne devait rien laisser au hasard. Les participantes furent divisées en deux groupes – aucune d'entre elles ne savait si elle prenait des hormones ou un agent neutre (placebo). Les 2 763 femmes qui prirent part à l'expérience étaient âgées de soixante-sept ans en moyenne et souffraient d'une affection cardiaque déjà déclarée. La plupart des médecins et des chercheurs se montraient sûrs de leur victoire : l'étude (Heart and Estrogen/progestin Replacement Study, en abrégé HERS), prévue dans ses moindres détails, confirmerait l'effet bienfaisant des hormones sur le cœur.

Mais il n'en fut pas ainsi : la première année de l'étude (1998) écoulée, un effet défavorable sur le taux d'infarctus fut mis en évidence. Les femmes sous traitement hormonal souffraient nettement plus souvent de complications cardiaques que celles qui prenaient un placebo. L'espoir de voir l'effet protecteur des hormones sur le cœur se dessiner après une utilisation prolongée devait également être réduit à néant. Une étude ultérieure (HERS-2) fut même interrompue. Après sept années d'études, le bilan n'a rien de réjouissant : les préparations œstrogéniques ne contribuent en rien à la santé cardiaque[36].

L'information qui fut ensuite communiquée, en juillet 2002, devait plonger des millions d'Américaines et d'Européennes incrédules dans l'inquiétude. Aux Etats-Unis, une autre étude portant sur l'action des hormones et menée sur seize mille femmes venait d'être interrompue – pour préserver la santé des participantes. Un bilan intermédiaire avait en effet montré que les préparations hormonales avaient causé plus de *dégâts* qu'elles n'avaient fait de bien[37].

Cette étude, prévue à l'origine jusqu'en 2005 (Women's Health's Initiative, WHI), devait elle aussi démontrer l'utilité des hormones et offrir enfin un solide fondement scientifique à l'administration prolongée de préparations œstrogéniques. Au lieu de quoi, les médecins découvrirent des effets secondaires dangereux : si dix mille femmes prennent pendant un an une préparation combinée (œstrogène et progestérone), elles sont, par rapport à un groupe comparatif sans traitement hormonal, huit de plus à souffrir d'un cancer du sein, sept de plus à être victimes d'un infarctus, huit de plus à subir une attaque cérébrale et huit de plus à présenter un caillot sanguin. Cependant, des effets positifs avaient également pu être remarqués : on notait six cas de moins de cancer du côlon et cinq cas de moins de fracture de la hanche.

L'étude ne peut dire si les œstrogènes sont à l'origine des cas de maladies. Certes, ils semblent ralentir la perte osseuse liée à l'âge, l'ostéoporose, mais il n'est toujours pas prouvé que ceci permette réellement d'éviter des fractures. Après avoir pesé les avantages et les inconvénients, les médecins américains décidèrent de stopper l'étude. Leur conseil aux femmes était clair : "N'utilisez pas d'œstro-progestatifs pour prévenir des affections chroniques."

Martina Dören, spécialiste en hormonologie à la clinique universitaire Benjamin-Franklin de Berlin, s'avança plus loin encore : avec cette étude, le concept du traitement hormonal substitutif "vacillait et, même, touchait à sa fin".

Quelques-uns de ses confrères avaient cependant un autre avis sur la question. Au sein de l'Association professionnelle des gynécologues, la commission responsable rédigea en toute hâte un texte de deux pages adressé aux "chères patientes" et portant la signature : "Votre gynécologue". Le document fut envoyé à onze mille membres – grâce au fax des laboratoires Jenapharm et Schering, qui gagnent des millions avec leurs préparations hormonales.

La lettre du syndicat embellissait tant les résultats qu'on aurait pu penser qu'elle avait été rédigée par le service marketing des laboratoires pharmaceutiques : l'*augmentation* des infarctus et des attaques cérébrales, attestée de manière univoque par l'étude WHI, y était déguisée en une "absence de diminution des maladies cardiovasculaires". En ce qui concerne le risque accru de cancers du sein, les auteurs eurent recours à une argumentation des plus odieuses en tentant de faire avaler aux patientes que l'accélération de la croissance tumorale était en réalité un bienfait : "Les perspectives de guérison de tumeurs apparues sous traitement œstro-progestatif sont nettement meilleures. En effet, les femmes sous traitement hormonal consultent régulièrement leur gynécologue et les tumeurs sont ainsi dépistées plus tôt, si bien qu'il est possible de les opérer tout en préservant le sein."

Perfides, les inventeurs de maladies veulent gagner sur tous les tableaux : en combattant la ménopause grâce à des hormones, puis en opérant ensuite les tumeurs qui en résultent.

L'étude américaine portant sur seize mille femmes ne put même pas confirmer l'influence positive, encore et toujours évoquée, des œstroprogestatifs sur le bien-être général. En mars 2003, les auteurs de l'étude publièrent des conclusions dégrisantes. Qu'il s'agisse de l'état de santé général, de la vitalité, de la disposition mentale, des accès dépressifs ou de la satisfaction sexuelle, aucune influence mesurable de la prise d'hormones n'avait pu être dégagée[38].

La médicalisation de la ménopause illustre parfaitement la façon dont certains médecins et laboratoires pharmaceutiques retournent les problèmes que posent les questions médicales. Aujourd'hui, la femme ménopausée est considérée comme un être déficient. En Basse-Saxe, l'antenne régionale du Syndicat des gynécologues affirme avec obstination que "la ménopause est une maladie[39]". Médecins et laboratoires ont répandu des semi-vérités, des légendes et des conseils qui ont conduit des millions de femmes bien portantes à avaler des œstrogènes et de la progestérone. Il n'existe pourtant à l'heure actuelle aucune preuve scientifique quant à l'utilité de ces préparations hormonales.

Les médecins et les pharmaciens qui publient le magazine indépendant *Arznei-telegramm* exigent ce qui devrait être une évidence : que "seuls les médicaments dont l'efficacité et la sécurité sont attestées par des études de longue durée, suffisamment larges, contrôlées et randomisées puissent être utilisés de manière préventive[40]".

La bonne santé des femmes semble avoir disparu. Les périodes de maladie se succèdent. Il serait même légitime de penser qu'être femme est aujourd'hui devenu une maladie en soi. Les années menstruelles laissent en effet place au retour d'âge qui laisse place aux années de déficit hormonal, et seules l'enfance et la prime jeunesse restent encore considérées comme des époques libres de tout symptôme.

VIII

LES NOUVELLES SOUFFRANCES
DES VIEUX MESSIEURS

Une nouvelle maladie menace le sexe fort – l'andropause, danger heureusement identifié par l'entreprise Schuster Public Relations & Media Consulting : "La force de l'âge ? Deux tiers des hommes de plus de cinquante ans ont des problèmes de santé, mettait-elle en garde l'opinion publique allemande en octobre 2002. Quand ils arrivent à «l'âge critique», les hommes subissent eux aussi les sautes d'humeur, troubles du sommeil et autres «désagréments climatériques». Mais la majorité ignore qu'un déficit de testostérone peut en être la cause[1]."

L'effrayante nouvelle se fondait sur un sondage réalisé par l'institut de sondage GfK HealthCare, installé à Nuremberg. Sept cent onze hommes âgés de quarante-cinq à soixante-dix ans avaient, en cochant des réponses dans un questionnaire, décrit leur état général. Au vu de la dépêche, il était impossible de savoir qui avait ordonné et financé la publication de ces résultats alarmants. Il s'agissait du laboratoire pharmaceutique berlinois Dr Kade/Besins.

Au même moment, l'entreprise Jenapharm se lançait elle aussi sur les traces de l'épidémie mâle. Une étude annonce ainsi : "Ni l'homme, ni la société ne veulent accepter le fait que l'homme connaisse lui aussi un climatère, une phase de transformation." Ailleurs, l'entreprise met en garde : "La baisse de performance qui se manifeste à partir de quarante ans a fréquemment pour cause le déclin hormonal de testostérone lié à l'âge."

Si Kade/Besins et Jenapharm s'intéressent tant au retour d'âge de l'homme, ce n'est pas par hasard. Depuis le printemps 2003, ils commercialisent un produit prétendument capable de donner un coup de neuf à l'homme délabré : un gel novateur, enrichi à la testostérone, la fameuse hormone qui transforme les petits garçons en hommes.

L'activité de l'industrie pharmaceutique est de vendre des traitements médicaux – or, dans le cas du déficit androgénique, la maladie vous est vendue en même temps que le produit. Les fabricants d'hormones ont en effet lancé des instituts de sondage, des agences de publicité, des agences de relations publiques, des professeurs de médecine et des journalistes dans cette entreprise : faire connaître l'andropause comme une maladie sérieuse et largement répandue.

Mais la maladie existe-t-elle réellement ? Il ne fait aucun doute que le taux de testostérone baisse au cours de la vie d'un homme – jusqu'à présent, les médecins ne voyaient cependant là qu'une conséquence du vieillissement. La testostérone est l'hormone sexuelle mâle (androgène) la plus importante chez l'être humain. Chimiquement, la testostérone est produite à partir du cholestérol. Le processus a lieu dans les capsules surrénales, et surtout dans les testicules.

A partir de quarante ans, le taux de testostérone baisse de 1 % par an. La cause de ce phénomène : une réduction de l'activité des cellules de Leydig, dans les testicules, et une modification de la répartition de l'hormone lutéinique qui stimule les cellules de Leydig.

Cette baisse de la concentration en testostérone, évaluée à 1 %, repose évidemment sur une estimation, puisque les scientifiques ont, pour la calculer, mesuré et comparé entre elles les valeurs hormonales de différents sujets, jeunes et vieux. Or, les valeurs de testostérone varient d'un homme à l'autre et le procédé est par conséquent imprécis.

Il serait plus exact d'examiner le profil hormonal d'un seul et même homme au cours de plusieurs décennies. Mais jusqu'à présent, de telles études sur la durée sont rares. Une petite enquête, la New Mexico Aging Process Study, a suivi sur plusieurs années les modifications hormonales chez des hommes âgés de soixante et un à quatre-vingt-sept ans. La baisse moyenne mise en évidence était de 110 nanogrammes par décilitre de sang et par décennie. Cette diminution est si restreinte que, dans certains cas, elle n'apparaît même pas si l'on tient en outre compte du poids de chacun des sujets[2].

Au printemps 2002, cette baisse naturelle a été réinterprétée pour devenir, dans les conférences de presse, les guides s'adressant aux patients, les brochures destinées aux médecins et les publicités, un phénomène pathologique. Syndrome de l'homme vieillissant, climatère masculin, ménopause de l'homme, hypogonadisme lié à l'âge, andropause,

DALA (déficit androgénique lié à l'âge) : les nouvelles souffrances des vieux messieurs ont connu bien des désignations.

Heiner Mönig, endocrinologue à l'université de Kiel, émet toutefois des soupçons : "On tente ici d'attribuer au ralentissement physiologique des glandes sexuelles les stigmates d'une véritable maladie."

Les deux fabricants en cause répliquent à cela que l'hormone en tube serait capable d'améliorer le bien-être, la libido, la densité osseuse et la masse musculaire des hommes "ménopausés". Leurs produits, identiques, sont commercialisés sous les noms d'Androtop Gel (Kade/Besins) et Testogel (Jenapharm). Les gels doivent être appliqués tous les matins sur le ventre ou les épaules. Une boîte, correspondant à un mois de traitement, peut coûter plus de 65 euros selon le dosage.

Ce qui est ici nouveau, ce n'est pas l'hormone de synthèse elle-même, mais la manière de l'utiliser. Les comprimés de testostérone produits dans les années 1960 firent un véritable flop ; en effet, les hormones administrées par voie orale sont éliminées à 80 % par le foie – une épreuve de force biochimique qui ne vaut rien à l'organe hépatique.

Quant aux injections autrefois largement répandues, elles répartissent les hormones dans le corps de manière extrêmement inégale. Pendant les premières heures et les premiers jours, la circulation sanguine en est littéralement inondée ; mais au bout des trois semaines que dure l'intervalle entre deux injections, l'hormone sexuelle ne circule plus que de manière parcimonieuse. Les montagnes russes hormonales entraînent des sautes d'humeur brutales, ainsi que des variations importantes de la libido et de la force musculaire.

Les patchs à la testostérone, pour finir, ont eux aussi leur petit côté perfide. Le mieux est de les coller directement sur les testicules, car le scrotum est quarante fois plus perméable que d'autres régions du corps. Avant de coller le patch, il convient toutefois de se raser prudemment les testicules, ce que beaucoup d'hommes jugent désagréable. Et, comble de malchance, les cruels patchs peuvent compresser et pincer la peau. Les hommes qui portent souvent la main à l'entrejambe seraient-ils donc sous traitement hormonal ?

En comparaison, appliquer le nouveau gel hormonal sur la peau, à partir de laquelle les molécules de testostérone pénètrent dans le corps, est un véritable jeu d'enfant. Le gel représente ainsi un médicament providentiel pour les hommes souffrant d'un déficit hormonal avéré. Parmi eux : les castrats ou les eunuques, ou encore les individus affectés du syndrome de Klinefelter, une maladie génétique liée à la présence d'un chromosome X supplémentaire.

Chez d'autres patients, les testicules ont pu être détruits par une infection virale, une tumeur ou un accident. Les individus touchés ont des organes sexuels infantiles et une tendance à accumuler les graisses au niveau de l'abdomen. Une peau claire et fine, une voix aiguë, l'absence de pilosité sur le visage et le corps ainsi qu'une musculature sous-développée sont alors typiques. Chez ces patients atteints d'hypogonadisme, l'apport artificiel de testostérone permet de rétablir les caractères sexuels mâles défaillants, raison pour laquelle la thérapeutique est autorisée.

Mais peu d'hommes souffrent de ces maladies. En Allemagne, on compte par exemple quatre-vingt mille hommes atteints du syndrome de Klinefelter : de tels chiffres sont loin de pouvoir transformer le traitement androgénique substitutif en best-seller pharmaceutique. En revanche, plus de douze millions d'hommes âgés de cinquante à quatre-vingts ans vivent sur le territoire allemand.

C'est ici que la médecine et le marketing se séparent. En août 2002, lors d'une réunion stratégique chez Kade/Besins, il fut signalé dans une présentation qu'"Androtop Gel ne remporterait un succès qu'à la condition d'éveiller un intérêt pour le produit". C'est pourquoi l'entreprise s'applique aujourd'hui à présenter la testostérone comme une sorte d'antipoison contre le vieillissement. "Age réel : cinquante-huit ans. Age ressenti : quarante-huit ans", voilà ce qui figure sur une brochure récemment imprimée et destinée aux patients. On peut lire dans le livret : "Vous n'êtes pas forcé d'accepter les désagréments de l'âge sans réagir[3]."

Jenapharm exagère le syndrome de déficit androgénique au point de le transformer en un véritable problème de santé publique : "Des estimations épidémiologiques évaluent à au moins 2,8 millions le nombre d'individus touchés en Allemagne[4]." Selon l'Institut américain de recherche sur le vieillissement, le prétendu déficit pourrait même être défini comme touchant jusqu'à "50 % des hommes vieillissants, qui deviennent ainsi candidats" à un traitement hormonal substitutif[5].

Laboratoires pharmaceutiques et groupes de médecins ont déjà réussi la prouesse de transformer une catégorie saine de la population en individus souffrant d'un déficit hormonal et nécessitant une prise en charge médicale : en Allemagne, une femme de quarante ans sur quatre suit un traitement œstrogénique.

Après les femmes, c'est donc à présent le tour des hommes. Lors de la réunion Kade/Besins d'août 2002, le laboratoire présenta la photographie d'une femme d'âge mûr. "Les hormones m'ont aidée à lutter contre la nervosité, les bouffées de chaleur et la baisse de libido, lui font dire les publicitaires. Si seulement il pouvait exister la même chose pour les hommes."

Pourtant, l'Institut fédéral des produits pharmaceutiques et médicaux, qui siège à Bonn, n'a en aucun cas autorisé les gels à la testostérone dans le cadre du traitement de la "ménopause de l'homme". Il rappelle que le gel ne peut être utilisé que "dans des cas attestés d'hypogonadisme, c'est-à-dire de fonctionnement insuffisant des testicules". Malgré tout, rien ne s'oppose à une prescription en masse. Au nom de la liberté thérapeutique, tout médecin est autorisé à prescrire un médicament même en dehors des indications prévues, dès lors que celui-ci a été autorisé.

Le soutien d'associations professionnelles médicales est extrêmement utile à l'élargissement d'un marché. Pour l'industrie, le "document consensuel" rédigé en décembre 2000 par douze professeurs allemands d'urologie et d'endocrinologie, décrivant pour la première fois le syndrome de "l'homme vieillissant", tombait donc à point nommé[6].

Hermann Behre, membre de ce groupe de travail et professeur d'andrologie à l'université de Halle, anime depuis des séminaires qui lui sont généreusement rémunérés par les vendeurs de testostérone. En janvier 2003, il prit notamment part à des conférences de presse pour Kade/Besins et vanta les mérites du gel hormonal.

Aux Etats-Unis, la campagne en faveur de la testostérone rencontra aussi des médecins serviables. La très respectée Endocrine Society, une association de chercheurs américains spécialistes des gonades, consacra en avril 2000 une conférence entière au thème de l'andropause – six semaines avant que le gel ne soit lancé sur le marché américain.

La conclusion que présentèrent les endocrinologues réunis à Beverly Hills, en Californie, était loin d'être univoque : les scientifiques concédaient d'un côté que l'utilité de l'administration de testostérone n'était nullement prouvée. Mais d'un autre côté, ils conseillaient de déterminer le taux hormonal de tout homme de plus de cinquante ans. Ils définissaient en outre une valeur limite de 10,4 nanomoles de testostérone par litre de sang. D'après les médecins, dans le cas d'un niveau hormonal inférieur à cette valeur, "un traitement serait vraisemblablement profitable" au patient.

Les médecins de Beverly Hills ont sans doute pris leur décision dans une intention bienveillante, ce que Jerome Groopman, de la Harvard Medical School, ne met nullement en doute. Cependant, il est également vrai que "la seule source financière de la conférence de Beverly Hills était une bourse de formation professionnelle d'Unimed/Solvay". Certains membres du comité sur l'andropause auraient même été choisis sur proposition de l'entreprise Unimed – filiale du laboratoire belge Solvay et diffuseur aux Etats-Unis du gel à la testostérone.

Treize médecins en faisaient partie – d'après le *New Yorker*, au moins neuf d'entre eux étaient liés financièrement au laboratoire pharmaceutique[7].

En rédigeant leur propre document consensuel, les professeurs de médecine allemands ont même, par rapport à leurs collègues américains, augmenté la valeur limite, qui passait ainsi à 12 nanomoles par litre. Au-dessous de cette valeur, le patient souffre d'un déficit de testostérone : du jour au lendemain 20 % des hommes de soixante ans et 35 % des plus de quatre-vingts ans se sont ainsi retrouvés affublés d'une maladie[8].

A Francfort, l'urologue Gert Ludwig – qui, pour corser le tout, a lui-même participé à la rédaction de ce document – affirme que cette limite a été fixée de manière totalement arbitraire. Les valeurs relevées chez des sujets jeunes auraient été appliquées à l'âge mûr sans autre forme de procès. "Il paraît extrêmement douteux que cette limite inférieure puisse être seulement utilisée telle quelle pour l'homme vieillissant", déclare le Dr Ludwig. Il existe quantité d'hommes mûrs dont le taux de testostérone n'est que de "5, 6 ou 8 nanomoles et qui n'ont absolument aucun symptôme[9]".

Au sein de la campagne publicitaire menée par l'industrie, la valeur limite contestable est depuis longtemps devenue un dogme. Jenapharm estime généreusement que les valeurs se situent en deçà du nombre magique de 12 "chez un homme sur trois de plus de cinquante-cinq ans", expliquant ensuite aux journalistes que "les médecins parlent dans ce cas d'hypogonadisme, une maladie[10]".

L'âge critique de l'homme relève-t-il donc du domaine médical ? D'un point de vue scientifique, le "retour d'âge masculin" est tout sauf attesté. Certains octogénaires présentent par exemple un taux de testostérone, encore raisonnable, de moitié inférieur à celui d'un homme de trente ans et peuvent encore avoir des enfants. D'ailleurs, le lien même qui existerait entre le dosage de testostérone chez le sujet âgé et des problèmes de santé n'a pas été démontré. En dépit de valeurs basses, nombre d'hommes se sentent en pleine forme – tandis que d'autres ont un taux hormonal élevé et se sentent pourtant affaiblis.

William Crowley, médecin au Massachusetts General Hospital, est depuis quelques années déjà sur les traces de l'andropause. Cherchant à établir le fondement d'une recherche sur l'hypogonadisme, il tenta tout d'abord de définir ce qu'était un taux normal de testostérone. Pour cela, le médecin préleva quelques gouttes de sang à de jeunes hommes, répétant l'opération toutes les dix minutes, vingt-quatre heures durant. Les sujets, pareils à des étalons vendus aux enchères, furent en outre évalués : la taille de leurs testicules, le schéma de leur pilosité, leur capacité érectile, le nombre de spermatozoïdes présents dans leur semence, leur densité osseuse, leur masse musculaire et le fonctionnement de leur hypophyse furent mesurés et analysés par les médecins. Toutes les valeurs relevées se situaient dans une fourchette normale. Seul le taux de testostérone déconcerta les chercheurs. Les valeurs relevées chez 15 % des sujets bien portants se situaient largement en deçà de la zone auparavant définie comme normale par les médecins américains[11].

L'expérience mit ainsi en évidence le fait suivant : le dosage sanguin ne permet pas à lui seul de diagnostiquer un déficit hormonal. Le nombre et l'état des récepteurs, c'est-à-dire des points d'ancrage de la testostérone dans le corps, sont tout aussi importants. L'hormone ne peut en effet développer son pouvoir anabolisant qu'en collaboration avec un récepteur. Si ces récepteurs sont défectueux ou absents, même le plus haut taux de testostérone reste sans effet. A l'inverse, un individu qui dispose de récepteurs particulièrement actifs s'en sort très bien, même avec peu de testostérone.

En l'espace de très peu de temps, le dosage hormonal connaît en outre d'importantes fluctuations chez une seule et même personne. Les activités corporelles, par exemple, agissent sur le taux d'hormones. Une demi-heure de course de fond augmente déjà d'un tiers environ le taux de testostérone. Le stress, en revanche, a généralement la réputation de réduire la quantité d'hormones sexuelles.

Aujourd'hui encore, les chercheurs sont incapables d'expliquer nombre des phénomènes qui président à ces dents de scie. Lorsque William Crowley examina une nouvelle fois les sujets dont le dosage avait été jugé bas, leur taux hormonal s'avéra largement plus élevé. En ce qui concerne le diagnostic biologique, cela signifie qu'un dosage faible est loin d'être synonyme de déficit hormonal. Par ailleurs, les procédés de mesure existants sont encore peu fiables. Si l'on procède au dosage sanguin d'un même échantillon à l'aide des méthodes proposées par différents fabricants, on obtient bien souvent des valeurs foncièrement différentes.

En 2001, une commission de l'Institut américain de recherche sur le vieillissement publia après de longues discussions un rapport qui présente comme douteux le concept même d'andropause. "Les preuves en faveur d'une concomitance entre le taux de testostérone mesuré et des résultats médicaux sont contradictoires et fort peu concluantes[12]." La Société internationale de recherches sur l'homme vieillissant met elle aussi en garde : les données étant incertaines, il serait "un peu prématuré" de recommander un traitement de l'andropause[13].

Les vendeurs à la criée, de leur côté, vantent la testostérone comme un élixir contre l'absence de désir sexuel, l'irritabilité, la perte de la masse musculaire, les bouffées de chaleur et les os poreux. La plupart de ces déclarations ont cependant pour fondement des expériences portant au mieux sur deux cent vingt-sept individus, et bien souvent sur une dizaine d'hommes seulement.

Quand des médecins de l'université de Pennsylvanie, Philadelphie, décidèrent d'aller y voir de plus près, il ne resta d'ailleurs plus grand-chose de la prétendue action de la testostérone sur la densité osseuse. Pendant trois ans, les chercheurs administrèrent un substitut hormonal à cent huit individus masculins de plus de soixante-cinq ans : par rapport au groupe comparatif, sous placebo, aucune différence mesurable ne put être relevée[14].

Wolfgang Weidner, urologue à Giessen, fait en outre remarquer que même l'hypothèse selon laquelle la testostérone "améliore réellement la qualité de vie n'a pas encore été prouvée". Les entreprises ont jusqu'ici économisé l'argent que coûteraient des études sur ce sujet – argent qu'elles dépensent apparemment bien plus volontiers pour des campagnes publicitaires. Au printemps 2003, les visiteurs médicaux sillonnaient ainsi le pays, familiarisant le

corps médical avec le nouveau syndrome masculin.

Discrètement, on suggère au médecin que le gel
hormonal pourrait également constituer une drogue
de bien-être. L'entreprise Kade/Besins, par exemple,
incite vivement le clinicien à prescrire le gel même
dans le cas d'un dosage supérieur à la valeur
limite. Dans une brochure imprimée sur papier
glacé *(Conseils de facturation pour le médecin)*,
l'entreprise explique au prescripteur comment s'y
prendre : "Si le dosage effectué en laboratoire se
situe dans la zone normale, il est possible de soumettre au patient une proposition de traitement
qu'il devra alors financer de manière individuelle[15]."

Or, chez un homme dont le corps produit suffisamment de testostérone, le "rab" hormonal n'en-
traînera aucun supplément de virilité. En effet,
dans le cas d'un taux normal de testostérone, les
récepteurs sont pour la plupart déjà saturés. Des
molécules supplémentaires ne peuvent s'ancrer
nulle part et disparaissent donc en fumée sans avoir
le moindre effet. Les médecins comparent ce phénomène à une voiture dont le réservoir d'essence
est à moitié plein. Si l'on fait le plein d'essence, la
voiture ne roule pas plus vite pour autant.

Le patient sous traitement est en revanche menacé par quantité d'effets secondaires : la prise de
testostérone sur une longue période peut entraîner
des modifications du métabolisme des graisses et
serait responsable d'une augmentation du risque
d'infarctus. Elle peut également porter préjudice au
foie, raison pour laquelle les sujets dont l'organe
est déjà défaillant doivent être exclus du traitement. L'hématopoïèse, c'est-à-dire la formation des

éléments du sang, est en outre accélérée. Les médecins espèrent ainsi éliminer les cas d'anémie fréquents chez le sujet âgé. Mais ce dopage peut avoir des conséquences néfastes, voire fatales, en déclenchant par exemple des thromboses ou des embolies graves.

Lorsque le corps humain reçoit de l'extérieur plus de testostérone qu'il n'en a besoin, il peut en outre ralentir l'activité de ses propres sites de production – et les testicules s'atrophient. Les spermatozoïdes ne supportent pas non plus très bien une submersion hormonale et risquent de dépérir : la fertilité diminue. En cherchant par ailleurs à convaincre un public jeune de l'utilité de la prise d'hormones, on risque d'exposer le patient à un arrêt prématuré de la croissance osseuse. Enfin, il faut évoquer une étonnante réaction à l'excédent hormonal : le corps transforme un trop-plein de testostérone en hormones sexuelles féminines, en œstrogènes, et le consommateur masculin voit alors sa poitrine s'arrondir. Le phénomène est appelé "gynécomastie".

Une femme entrant en contact avec le gel à la testostérone est également menacée de graves effets secondaires. Seuls 10 % environ des hormones mâles contenues dans le gel pénètrent en effet réellement dans le corps. En touchant la peau de leur partenaire qui vient d'appliquer le gel, les femmes pourraient donc sans le savoir être exposées à une dose d'hormones. Celle-ci n'augmentera pas seulement leur désir sexuel, mais risque aussi de les gratifier d'une barbe, d'une voix plus grave, de poussées acnéiques ou d'une perte de cheveux.

Les fabricants de gel invitent donc à la plus grande précaution. Après avoir appliqué le gel sur l'abdomen, il convient de se laver les mains au savon et, pour plus de sécurité, d'enfiler un tee-shirt. Aux Etats-Unis, lors de l'autorisation de mise sur le marché du produit, la FDA mit en garde les femmes enceintes. La testostérone pouvant être nocive pour le fœtus, celles-ci devaient se tenir à distance des hommes venant de procéder à l'application du gel.

Chez l'homme, c'est sans doute la prostate qui est exposée au risque le plus important. Des essais sur l'animal ont en effet montré que la testostérone pouvait favoriser le cancer de la prostate. Nombre d'experts supposent qu'un tel lien de cause à effet existe également chez l'homme – en conséquence de quoi, l'hormone de synthèse réveillerait des foyers cancérogènes. Or, ceux-ci, et ce n'est pas négligeable, sont latents dans la prostate chez un tiers des plus de soixante ans et chez la moitié des plus de soixante-dix ans.

Une étude du fabricant lui-même a mis en évidence un effet notable sur la prostate : presque 20 % des utilisateurs de longue durée qui s'offraient 100 milligrammes de gel tous les matins se plaignirent de problèmes sérieux au niveau de cette glande. Chez l'un des sujets, les médecins dépistèrent un début de cancer de la prostate, et trois autres abandonnèrent le traitement hormonal pour cause de maladies prostatiques[16].

Afin de résoudre l'énigme de l'andropause, le gouvernement américain avait même envisagé une étude sur le long terme. Le Department of Veterans Affairs et le National Institute on Aging avaient prévu d'investir 110 millions de dollars dans une étude menée pendant six ans sur six mille hommes dans quarante centres médicaux. Mais le projet colossal fut stoppé en juin 2002, peu avant le lancement prévu. Les médecins refusaient d'exposer les volontaires aux risques éventuels de la testostérone[17].

Pourtant, même en l'absence d'études des risques à long terme, les médecins prescriront l'hormone mâle – tout comme les médecins qui, des décennies plus tôt, ont joyeusement contribué à la prolifération du traitement hormonal substitutif chez la femme. John McKinlay, membre des New England Research Institutes, situés non loin de Boston, s'inquiète : "Nous sommes sur le point de répéter ce désastre. Concernant la substitution de testostérone, les preuves sont plus que défaillantes. Cinq hommes par-ci, dix hommes par-là. Six rats et une perdrix dans un poirier. La physiologie est absente, mais l'industrie, elle, répond en tout cas présente."

Pendant dix ans, cet endocrinologue a mesuré les taux hormonaux de deux mille hommes âgés de trente-neuf à soixante-dix ans. Conclusion : "Appelez cela comme vous voulez – andropause, viropause, planche à roulettes –, il n'existe aucune preuve épidémiologique, scientifique ou clinique de l'existence de ce phénomène. L'andropause n'est rien d'autre que la médicalisation d'une phase normale du vieillissement[18]."

LONGUE VIE AUX EUNUQUES

Si la testostérone est censée nous aider à lutter contre le processus de vieillissement tant redouté, c'est peut-être tout simplement parce qu'elle abrège considérablement la vie. C'est du moins ce que donnaient à entendre des études menées pendant plusieurs années sur des sujets castrés et des sujets indemnes : ceux d'entre eux qui devaient vivre sans testicules, et donc sans testostérone, vivaient en moyenne quinze ans de plus que les sujets indemnes. Et plus la castration avait eu lieu prématurément, plus l'allongement de la durée de vie était important.

Le biologiste Ian Owens, de l'Imperial College de Londres, suppose que le décès prématuré des hommes normaux a pour origine la testostérone produite par le corps humain. L'hormone mâle affaiblit en effet les défenses en freinant l'apport d'énergie au système immunitaire, sans doute afin que l'homme puisse utiliser celle-ci pour d'autres activités. Cet effet de la testostérone a été confirmé lors de l'étude comparative incluant des castrats. Le taux de mortalité, plus élevé chez les hommes normaux, s'expliquait par l'apparition de maladies infectieuses – et non par des causes violentes ou des accidents[19].

Les chercheurs expliquent ainsi la mort prématurée du sexe fort par la testostérone. Dans les pays occidentaux, les hommes meurent en moyenne sept ans avant les femmes. Il est vrai que les hommes décèdent plus souvent dans des accidents de voiture et sont plus souvent victimes de meurtres ou candidats au suicide ; ils sont également plus souvent infectés par le virus du sida et consomment plus de drogues que les femmes.

Mais si l'on fait abstraction de ces paramètres, la différence relevée quant à l'espérance de vie des deux sexes persiste. Il semble que les hommes offrent une meilleure prise aux bactéries et aux parasites que les femmes. D'une part, le corps masculin est plus imposant que le corps féminin. Et, d'autre part, l'homme produit en grande quantité une substance qui affaiblit ses défenses immunitaires : la testostérone[20].

LA FABLE DE LA FONTAINE DE JOUVENCE

La quête de la jeunesse éternelle est aussi vieille que l'humanité. Si les affaires des alchimistes étaient si florissantes au Moyen Age, c'est notamment parce que l'or était considéré comme le plus puissant élixir capable d'offrir une longue vie. Aujourd'hui, certains médecins, quelques biologistes et des entreprises douteuses ont endossé le rôle du charlatan. Sous le couvert de la "médecine anti-âge", ils bombardent l'opinion publique de semi-vérités. Le vieillissement et les phénomènes qui lui sont associés sont ainsi présentés comme une maladie qu'il convient d'enrayer.

"A cinquante ans, notre corps ne produit déjà plus qu'un tiers de la quantité hormonale d'origine – certains problèmes de santé sont préprogrammés", annonce par exemple la Société allemande pour la médecine anti-âge, qui siège à Munich et compte six cents membres. Ceux-ci se consacrent à l'étude des moyens permettant de ralentir, de stopper ou même d'inverser le processus de vieillissement. Dans un "état des lieux", les docteurs anti-âge suggèrent même qu'en plus de la testostérone et de l'œstrogène, d'autres hormones pourraient être propres à lutter contre l'agonie de la jeunesse :

– l'administration de DHEA (pour déhydroépiandrostérone) favoriserait selon eux le désir sexuel et

189

le bien-être. Elle ferait baisser le taux de cholesté-rol, encouragerait l'élimination du tissu adipeux et augmenterait la capacité de concentration ;

– d'après la brochure, la prise de mélatonine protégerait des radicaux libres, améliorerait les défenses immunitaires et chasserait les humeurs dépressives ;

– la consommation d'hormones de croissance, enfin, serait censée encourager la régénération cel-lulaire, améliorer la tonicité du tissu conjonctif, augmenter le désir sexuel et renforcer le système immunitaire.

Tout cela paraît crédible – et pourtant la vérité est tout autre. Aucune préparation hormonale, aucune vitamine, aucun antioxydant, aucune opération et même aucune modification du mode de vie n'est en mesure d'influencer de manière notable le pro-cessus de vieillissement.

Telle est la conclusion – triste, mais indiscutable – à laquelle sont parvenus récemment Jay Olshansky, de l'université de l'Illinois, à Chicago, et d'autres éminents chercheurs américains sur le vieillisse-ment. Les cinquante et un savants mettent clairement en garde l'opinion publique contre les fausses promesses de l'industrie de jouvence : "Les gens doivent savoir que, d'après les connaissances scienti-fiques actuelles, aucun des moyens disponibles jus-qu'à ce jour sur le marché n'est propre à ralentir, à arrêter ou même à inverser le processus naturel de vieillissement. Certaines des méthodes préconisées peuvent même représenter un véritable danger." Jusqu'à présent, les chercheurs n'ont pu identifier, ni chez l'animal, ni chez l'homme, une échelle de graduation du déclin physique – les aiguilles qui courent sur l'horloge du vieillissement n'ont pas encore livré leur secret. Or, en l'absence de points de référence sérieux, les prophètes anti-âge ne peuvent en aucun cas déterminer si leur action a un effet quelconque[21].

Une fois la machinerie vitale lancée, celle-ci court irrémédiablement à sa perte. Pincements discaux, fractures de la hanche, rides, cataracte, hémorroïdes, dilatations veineuses, mais aussi protéines modifiées et gènes mutants : telles sont les manifestations d'une transformation peu réjouissante, mais naturelle. Au fil des ans, des dommages dus au hasard s'accumulent dans les moindres recoins du corps humain – vieillir n'est que cela. Dès la prime jeunesse, des mécanismes de réparation sont activés contre le déclin général mais, un jour ou l'autre, ils sont dépassés par les défaillances qui se multiplient – une inévitable tragédie.

Les cellules, les tissus et les organes ne travaillent plus qu'à régime réduit – le vieillissement pointe le bout de son nez : les masses musculaire et osseuse diminuent, la vue et l'audition sont de moins en moins performantes, la peau se ride, le temps de réaction s'allonge. L'être humain est en outre plus sujet à des maladies telles que les affections cardiaques, la maladie d'Alzheimer, le cancer ou les attaques cérébrales. Les chercheurs regroupés autour de Jay Olshansky affirment dans leur déclaration que "ces affections ne sont cependant que des manifestations liées au vieillissement. Elles ne peuvent donc être mises sur le même niveau que ce dernier. Car même si l'on devait un jour éradiquer les maladies du vieillissement les plus typiques – qui représentent aujourd'hui la première cause de décès dans les pays industrialisés –, le processus de vieillissement ne disparaîtrait pas pour autant. D'autres maladies viendraient se substituer aux maladies qui affectent aujourd'hui le sujet âgé. Et du fait du vieillissement, des fonctions physiologiques telles que la circulation sanguine finiraient de toute façon par être anéanties."

L'espérance de vie dans les pays industrialisés n'a cessé de croître depuis 1840, gagnant chaque année trois mois supplémentaires. A Rostock, des scientifiques de l'institut Max-Planck pour la recherche démographique estiment que la barrière biologique de l'âge n'a pas encore été atteinte. En 2060, l'espérance moyenne de vie pourrait atteindre cent ans[22].

Les habitants des pays riches ne vivent cependant pas plus longtemps parce qu'ils vieillissent autrement, mais parce qu'ils vivent autrement. L'aisance, les médicaments, la nourriture, mais aussi et surtout l'hygiène jouent ici un rôle prépondérant.

En revanche, il n'existe pas de gènes qui détermineraient la durée de vie. L'évolution favorise les gènes qui sont utiles à la reproduction et ainsi à la transmission du patrimoine génétique. Ce qui arrive à un individu au-delà de la phase pendant laquelle il se reproduit et élève ses enfants n'est plus soumis aux mécanismes de sélection de l'évolution. Certes, de nombreux caractères héréditaires influencent la durée de vie, mais cela ne se produit que de manière indirecte – il n'y a pas de "gène du vieillissement". Si l'espérance de vie des êtres humains atteint soixante-dix ans ou plus, ce n'est, d'un point de vue évolutif, que pur hasard. Les perspectives de soins sont donc incertaines : "Comme il n'existe

aucun programme génétique responsable du vieillissement et du décès, le processus de vieillissement n'offre aucune prise nette pour le combattre
à la manière d'une maladie", expliquent les chercheurs spécialistes du vieillissement.

Même une activité physique régulière et une alimentation saine ne nous permettront pas d'échap-
per au destin qu'est le vieillissement. Le sport et
une alimentation raisonnée peuvent certes aider à
lutter contre des maladies et nous permettre d'accéder ainsi à une vie plus saine et plus longue – mais
le vieillissement lui-même est irrémédiable.

IX

QUAND IL VOUS PLAIRA

*Le pénis n'obéit en aucun cas aux
ordres de son maître.*

LÉONARD DE VINCI

C'est le pied. En tout cas, pour les dix-sept millions
d'hommes dans le monde qui, depuis 1998, ont
pris part au miracle bleu : le Viagra. Le comprimé
octogonal au pelliculage bleu ciel permet de lutter
contre l'impuissance avec plus d'efficacité que
toutes les méthodes antérieures. A chaque seconde,
sur notre planète, quatre hommes avalent le remède
anti-panne. La tentation est grande : pour la première fois, il est possible de remédier confortablement aux problèmes d'érection par un simple
comprimé qu'il suffit d'avaler environ une demi-
heure avant l'acte.

"Ma femme m'a dit que j'avais été aussi bon que
Tarzan", se souvient Alfred Pariser, aujourd'hui âgé
de soixante-deux ans et l'un des premiers hommes
à avoir goûté les délices du médicament excitant.
Aujourd'hui comblé, il s'était retrouvé impuissant
après une ablation de la prostate, atteinte de tumeurs
malignes. Volontaire pour une étude clinique, Alfred
Pariser a pris du Viagra – et redécouvert les joies
de l'érection.

Mais le Viagra, tout comme ses récents concurrents, le Cialis, produit par le laboratoire américain Lilly-Icos, et le Levitra de la maison Bayer, sont bien plus que des redresseurs chimiques de pénis : ces médicaments ont changé le monde. L'industrie pornographique, pour citer un exemple inévitable, a connu une véritable révolution. Finie l'époque où les acteurs masculins avaient besoin de longues pauses ou devaient être doublés pour les prises de vues rapprochées. "Aujourd'hui, le tournage n'est plus interrompu que pour des retouches de maquillage, un petit tour aux toilettes ou une pause-café", relate l'Agence allemande de presse, la DPA, depuis San Fernando, en Californie, où se situe le bastion de l'industrie pornographique américaine.

Quant aux savants spécialistes de l'anatomie, ils doivent à la pilule bleue de leur avoir ouvert des horizons jugés inaccessibles autrefois. Ce n'est en effet qu'en prenant du Viagra qu'un homme réussit à pénétrer une femme et, au plus haut point de la jouissance, à rester immobile pendant douze secondes, tout cela installé dans le tube peu accueillant d'un scanner (diamètre : 50 centimètres). Grâce aux images du bas-ventre des volontaires qui ont ainsi été réalisées, une vieille question a pu être résolue de manière satisfaisante : comment l'homme et la femme trouvent-ils le chemin qui les mène l'un à l'autre ?

La réponse : grâce à une étonnante déviation de la nature. Le pénis s'arque fièrement vers le haut et s'insère comme un boomerang dans le vagin, ainsi que l'ont expliqué des chercheurs de l'université de Groningue[1].

Le Viagra élargit en outre le répertoire des médecins spécialistes de la reproduction. Car c'est précisément lors des rencontres explicitement destinées à la reproduction que certains hommes ne tiennent pas le choc, soumis à la pression et à des attentes qui les dépassent. "Ils ont l'impression d'être des animaux reproducteurs, explique un urologue de l'université de Giessen. Dans ce genre de cas, je prescris un Viagra et tout rentre dans l'ordre."

Le Viagra, septième ciel de la recherche pharmaceutique, a révolutionné le monde. Le médicament, du moins pour ce qui est du partenaire masculin, a transformé la sexualité de l'être humain en un besoin médical disponible sur ordonnance pour tout un chacun. Certains messieurs cependant ne résistent pas à un tel exercice. Depuis l'introduction du Viagra sur le marché, en 1998, au moins trente consommateurs, rien qu'en Allemagne, sont "restés raides pour l'éternité", ainsi que le journal berlinois *Taz* l'exprime avec ironie ; au niveau mondial, on déplore à ce jour six cents décès. La fin de Sani Abacha, ancien dictateur militaire du Nigeria, n'eut par exemple rien d'une mort douce. Le 8 juin 1998, le général gavé de Viagra mourait à l'âge de cinquante-quatre ans en atteignant le point culminant d'une orgie avec trois prostituées indiennes.

Mais l'industrie ne plaisante pas avec le sujet ; le commerce fondé sur les millions d'hommes impuissants qui sont censés peupler notre planète est bien trop sérieux. Jusqu'au début de l'année 2003, le Viagra dominait le marché, avec un bénéfice de 1,5 milliard de dollars pour l'année 2001 ; son fabricant, Pfizer, est ainsi devenu la plus grande entreprise pharmaceutique du monde.

Pour la recherche pharmacologique, le formidable succès de la pilule bleue eut un effet… stimulant. Si la première pilule contre l'impuissance fit souffler un vent de volupté sur l'humanité, c'est un véritable typhon orgiaque qui se dessine aujourd'hui à l'horizon : dans les laboratoires des fabricants, au moins vingt nouvelles molécules sexuelles pour l'homme sont actuellement en phase d'essai ou d'autorisation. Depuis 2003, les premiers produits d'imitation sont déjà sur le marché. Il s'agit de molécules qui, à l'instar de leur célèbre modèle, le Viagra, agissent directement sur les corps érectiles de la verge, mais dont l'action serait plus puissante, plus rapide et plus durable[2].

Le groupe pharmaceutique américain Lilly-Icos propose par exemple sous le nom de Cialis un cachet en forme d'amande dont l'efficacité est particulièrement durable ; il peut soutenir un homme pendant tout un week-end.

Du côté de l'entreprise allemande Bayer, un groupe de vingt chimistes et biologistes a développé dans le temps record d'à peine deux ans une molécule ressemblant à s'y méprendre au principe actif du Viagra, mais dont l'efficacité devrait être encore plus grande. Sous le nom de Levitra, la pilule couleur abricot contre l'impuissance est commercialisée dans le monde entier par le laboratoire Bayer et le géant pharmaceutique Glaxo-SmithKline. Tous autant qu'ils sont, ces laboratoires ont ainsi pour objectif de tirer profit d'un mythe et veulent nous faire croire que seule une érection parfaite relèverait de la normalité.

Grâce au tapage qui a été fait autour du Viagra & Co., l'urologie, science jusqu'ici sans attrait, apparaît dans toute sa splendeur. Autrefois spécialisée dans les calculs urinaires, les douleurs rénales et les problèmes de prostate, la discipline connaît aujourd'hui grâce au sexe ses plus belles années.

A la tête de cette révolution se profile Irwin Goldstein, urologue qui dispose d'une chaire de médecine sexuelle à l'université de Boston, aux Etats-Unis, où il n'existe d'ailleurs qu'un seul département de ce type. Dans les années 1980, Goldstein et ses pairs libérèrent l'impuissance de son image psychologique. Depuis, le manque de rigidité virile n'est plus traité sur le divan – mais dans un laboratoire d'analyses.

"Je n'ai rien contre le côté psychique, explique le Dr Goldstein. Mais à partir d'un certain point, le sexe n'est que mécanique. L'homme a besoin d'une rigidité longitudinale suffisante pour que la verge puisse pénétrer les lèvres."

L'urologue s'est donc donné pour mission de redresser les membres mous, de la même manière qu'un astronaute réparerait son vaisseau spatial défectueux. "Je suis ingénieur, poursuit Irwin Goldstein qui, pour résoudre les pannes érectiles, travaille réellement en collaboration avec le département d'astronautique de l'université. Je peux appliquer toutes les lois de l'hydraulique à ces problèmes[3]."

Autrefois, les médecins prêchaient au peuple pudeur et morale. Il y a cinquante ans, seuls les rapports sexuels conventionnels au sein du couple marié étaient ainsi jugés "normaux". Jusqu'à la Seconde

Guerre mondiale, les jeunes filles enceintes mais célibataires pouvaient être internées dans des asiles – pour une durée indéterminée. Les variantes sexuelles relevaient de la compétence des neurologues. Dans la première édition du *Diagnostic and Statistical Manual of Mental Disorders* de 1952, l'homosexualité était décrite comme une maladie propre qu'il convenait de traiter. Jusque dans les années 1970, les personnes concernées étaient gavées d'hormones ou castrées.

Les spécialistes de la mécanique biologique, les pharmacologues et les médecins se rendent à nouveau maîtres de notre vie sexuelle – mais d'une tout autre manière cette fois. La médecine qu'ils pratiquent à présent prescrit à tous une pratique sexuelle régulière, garante d'une vie saine – peu importe que les gens en aient envie ou pas. "Jusqu'à il y a peu, les mots d'ordre de la sexualité étaient la retenue et la mesure. Aujourd'hui, il s'agit d'obtenir une satisfaction sexuelle plus grande et plus fréquente", constatent avec étonnement les chercheurs britanniques Graham Hart et Kaye Wellings, spécialistes de la santé. L'abstinence serait aujourd'hui considérée comme "le nouveau comportement déviant" – ce qui en fait un cas idéal pour les inventeurs de maladies[4].

L'urologue Hartmut Porst fait ainsi partie de l'élite des nouveaux médecins du sexe. Situé dans une rue chic de Hambourg, son cabinet ne désemplit pas. Sur ses dossiers s'étalent les noms de centaines d'hommes affaiblis, venus des quatre coins du pays. C'est sur eux que Hartmut Porst mène la plupart des études réalisées dans le monde sur le bénéfice et les risques des produits excitants et des remèdes contre l'impuissance. L'industrie confie ainsi ses plus récentes créations au jugement bienveillant du médecin allemand.

Ce jour-là, en février 2002, les volontaires de Hartmut Porst testent un principe actif expérimental produit par une entreprise japonaise et censé démultiplier leur désir directement au niveau du cerveau. Les quatorze volontaires sont allongés sur leur lit et regardent des vidéos pornographiques. Au bout de trente minutes, les premiers effets de la molécule testée se font ressentir – le docteur du sexe commence sa visite. Rien ne bouge ? Impatient, le médecin soulève la couverture jaune citron de son patient Johannes I., âgé de cinquante-huit ans. L'homme, maigre, ne porte que des chaussettes et sourit d'un air gêné. "Ah, vous voyez !" grommelle Hartmut Porst en inscrivant une remarque dans le dossier médical, avant de se presser auprès du patient suivant. Une fois la visite terminée, le médecin se déclare satisfait : "J'ai vu quelques belles érections."

Cela ne fait aucun doute : la démarche de Hartmut Porst n'est pas du goût de tout le monde. Mais elle est indispensable à la quête de nouveaux produits sexuels. "Il n'existe presque aucun domaine de la médecine qui soit aussi actif que le développement de nouveaux remèdes contre les troubles sexuels, déclare le médecin. Nous sommes en train de vivre une deuxième révolution sexuelle."

LE VIAGRA DE MADAME EST SERVI

Cette révolution ne fut pourtant pas fomentée par des hommes frustrés. En effet, ce sont plutôt les chercheurs de l'industrie pharmaceutique et les employés des services marketing qui, en présentant la frustration sexuelle comme un phénomène largement répandu et curable, ont planté le décor idéal. Mieux encore, ils prétendent maintenant avoir découvert que l'absence de désir sexuel est un fait extrêmement courant chez la gent féminine : 43 % des femmes adultes en seraient atteintes. La méfiance semble être plus que de mise – car ce chiffre incroyablement élevé représente pour l'industrie un enjeu de plusieurs milliards de dollars.

"La nécessité de trouver un remède pour la libido féminine est énorme", affirme le chercheur en pharmacologie Perry Molinoff. Ce dernier expérimente la molécule PT-141, censée agir directement sur le centre sexuel du cerveau humain. Adieu huîtres, champagne, vibromasseur et dîner aux chandelles, exulte Perry Molinoff : "Le PT-141 est la première molécule connue qui semble démultiplier le désir féminin."

A la tête du laboratoire pharmaceutique Palatin Technologies, installé à Edison (New Jersey), Perry Molinoff attend avec impatience de pouvoir commercialiser cet aphrodisiaque supposé : sous forme de spray nasal à utiliser pendant les préliminaires. Les tests effectués sur des singes rhésus et les premières expériences cliniques menées sur seize femmes se seraient déroulés de manière satisfaisante, assure le chercheur. Après une pulvérisation nasale, les volontaires, dopées au PT-141, ont regardé des vidéos érotiques tandis que de petits appareils mesuraient le flux de sang circulant dans leur vagin. En comparaison avec seize femmes qui avaient utilisé un spray nasal sans effet, l'afflux sanguin s'est effectivement avéré plus important au niveau des tissus érectiles des consommatrices de PT-141.

Le PT-141 agit de la même façon que la mélano-tropine, une hormone présente dans le cerveau humain. Celle-ci a entre autres pour tâche de favoriser le bronzage de la peau sous l'effet des rayons UV. C'est d'ailleurs cette particularité qui a conduit des chercheurs du Health Sciences Center de l'université d'Arizona à se pencher sur le PT-141 : afin de stimuler le processus de pigmentation d'hommes particulièrement pâles, ils leur administraient la molécule sous forme de lait solaire.

Les volontaires purent effectivement bientôt se réjouir d'un joli hâle – et d'effets secondaires étonnants : d'impressionnantes érections. L'un des chercheurs – qui, par pure curiosité, avait appliqué le gel testé sur la peau – erra huit heures durant, le sexe raidi. Rien d'étonnant à ce que l'industrie se soit rapidement intéressée à la substance : apparemment, la crème solaire avait pour effet de démultiplier dans le cerveau le désir des personnes testées. "Il s'agissait là d'une réaction psychique qui déclenchait en cascade d'autres réactions le long de la moelle épinière, jusqu'au bas-ventre", explique le pharmacologue Mac Adley, de l'université d'Arizona.

Mais si le PT-141 est réellement capable d'éveiller l'appétit sexuel, la pilule tant attendue ne pourrait-elle pas constituer un danger pour l'humanité ? Perry Molinoff nous rassure : "Sous forme de spray nasal, le remède n'est pas actif très longtemps dans le cerveau. Et il ne serait utilisé qu'immédiatement avant l'acte sexuel." En quelques secondes, le PT-141 atteint le cerveau en passant par les muqueuses et le sang. La présentation du médicament a été choisie avec circonspection, explique Perry Molinoff : "Avec un comprimé, il serait possible de dissoudre le produit dans une boisson et de convaincre ainsi n'importe quelle femme."

Chez le leader de la branche, Pfizer, on s'agite aussi. Les chercheurs se sont ainsi demandé si le classique Viagra ne pourrait pas également être efficace sur des femmes frigides. Lors de tests tenus secrets, ils expérimentèrent la pilule bleue sur des Anglaises – mais sans grand succès. Si l'on considère l'ensemble du secteur, au moins une douzaine de préparations sont à l'heure actuelle testées cliniquement ; comprimés, crèmes, gels et sprays de toute sorte doivent démultiplier le désir féminin.

Cela ne fait aucun doute : les chercheurs de l'industrie pharmaceutique rêvent de répéter avec les femmes le monumental succès économique des pilules pour l'homme, Viagra & Co. Les travaux préliminaires à la réalisation de ce rêve sont déjà lancés – et pas seulement dans les laboratoires de recherche. Car pour pouvoir seulement commercialiser leurs produits, il faut tout d'abord aux fabricants un tableau clinique clairement défini ; un syndrome qui, dans l'idéal, peut être dépisté selon des critères précis.

LA FEMME FRUSTRÉE : DERNIÈRE DÉCOUVERTE DE LA MÉDECINE

Les laboratoires pharmaceutiques se sont attelés à la tâche depuis longtemps déjà : cela fait des années qu'ils sponsorisent régulièrement des congrès et des rencontres lors desquels sont esquissés les contours d'une telle maladie, baptisée pour l'occasion "dysfonction sexuelle féminine". Une affection qui tombe à point nommé pour la branche pharmaceutique, d'autant plus qu'elle est censée toucher près de la moitié des individus de sexe féminin.

Cette propagation épidémique de l'absence de désir s'est toutefois révélée être une pure création. L'"apparition de la dysfonction sexuelle féminine est l'exemple le plus récent et le plus parlant de la manière dont l'industrie pharmaceutique sponsorise la création d'une maladie, rapporte Ray Moynihan dans le *British Medical Journal*. Une équipe de scientifiques étroitement liés aux entreprises du médicament s'applique avec des confrères de l'industrie pharmaceutique à développer et définir une nouvelle catégorie de maladie humaine, et ce, lors de rencontres largement financées par les entreprises qui se battent pour développer de nouveaux médicaments[5]."

C'est ainsi, en 1997, lors d'une conférence de sexologie dans un hôtel de Cape Cod, aux Etats-Unis, que fut scellée l'existence du trouble féminin. A l'occasion d'une rencontre ultérieure à Boston, en octobre de la même année, le prétendu syndrome du "pas-ce-soir-chéri" fut défini de manière plus précise – à huis clos et grâce au financement de laboratoires pharmaceutiques. Parmi les dix-neuf auteurs qui publièrent ensuite les résultats de cette rencontre aux allures de conspiration, dix-huit avaient des liens avec l'industrie. Leur document consensuel était quant à lui soutenu financièrement par huit entreprises. Pour finir, des médecins fondèrent un Forum sur le fonctionnement sexuel féminin, qui tint en son temps des conférences à

Boston, financées par plus de vingt laboratoires pharmaceutiques. Ces meetings étaient coorganisés par Irwin Goldstein, le fameux urologue américain pour qui les troubles sexuels relèvent de la mécanique. Or, ses liens avec l'industrie pourraient être qualifiés de particulièrement intimes : porte-parole et conseiller, il rend service, selon ses propres dires, "à presque tous les laboratoires pharmaceutiques". Pour exemple : en décembre 2002, l'infatigable Goldstein monta au créneau lors d'un congrès sur l'impuissance organisé à Hambourg et financé par les fabricants de Levitra, Bayer et Glaxo-SmithKline[6].

La dysfonction sexuelle féminine atteignit son premier sommet dès 1999, lorsque la revue médicale *JAMA* publia le résultat d'un sondage sur le sujet : 43 % des femmes âgées de dix-huit à cinquante-neuf ans se plaignaient d'avoir une vie amoureuse inaccomplie – révélant ainsi un gigantesque réservoir de patientes. Une fois publié, le nombre magique fit rapidement le tour du monde scientifique. Il est aujourd'hui repris et diffusé par les médias, la plupart du temps sans le moindre esprit critique[7].

Il devait toutefois s'avérer par la suite que deux des quatre auteurs de l'étude avaient des liens avec le fabricant de remèdes sexuels, Pfizer. Plus grave encore : la démarche adoptée par les chercheurs, des sociologues de l'université de Chicago, se révéla plus que douteuse. Lourd de conséquences, ce nombre de 43 % était en effet le résultat d'une compilation de vieilles données relevées sept ans auparavant. A l'époque, mille cinq cents femmes avaient été interrogées sur leur activité sexuelle de l'année précédente. On leur demandait si elles avaient ressenti pendant plus de deux mois l'un des sept symptômes listés : parmi ceux-ci, l'absence de désir, la peur de la panne sexuelle ou une sécheresse intime gênante. Quiconque répondait par l'affirmative à un seul de ces points se voyait gratifiée par les sociologues d'une défaillance du fonctionnement sexuel. Et c'est ainsi que les problèmes d'individus bien portants furent transformés en symptômes d'individus malades.

Aucun être sain d'esprit ne peut accepter de telles manœuvres. Car il est évident que le désir sexuel est en lien étroit avec le stress, la fatigue et les rapports de couple. Dans certaines situations, ne pas ressentir le besoin de faire l'amour est tout à fait sain et normal. John Bancroft, chercheur en sexologie et directeur du Kinsey Institute de l'université d'Indiana, voit se dessiner une évolution fatale : d'après le chercheur, décrire des difficultés sexuelles comme un dysfonctionnement, c'est risquer d'encourager les médecins "à prescrire des médicaments qui modifient le fonctionnement sexuel – alors que l'attention devrait être fixée sur d'autres aspects de la vie des femmes".

Par chance, la critique ne passe pas entièrement inaperçue et les sociologues de Chicago font machine arrière. Nombre des femmes comptabilisées dans le groupe des 43 % auraient été "absolument normales", concède Edward Laumann, le chercheur responsable de l'étude. Pour beaucoup de ces femmes, le problème n'aurait été – comme c'est étrange – qu'"une réaction tout à fait adaptée de l'organisme humain aux difficultés et au stress".

Et pourtant : si la très contestée pilule du désir devait un jour être autorisée pour ce trouble, il ne

fait aucun doute que la dysfonction sexuelle féminine deviendrait en un rien de temps un problème
de santé publique.

C'est du moins ce que l'on peut tirer de la leçon
du Viagra. Depuis la mise sur le marché de ce produit, la "dysfonction érectile" est devenue un diagnostic bien plus courant qu'auparavant, dont la
fréquence a par exemple été multipliée par trois au
Royaume-Uni[8].

MONSIEUR TOUT LE MONDE DANS LA PEAU DE SUPERMAN

Certes, beaucoup d'hommes impuissants osent maintenant se rendre chez le médecin, car ce dernier est
aujourd'hui enfin capable de les aider. Parmi eux,
beaucoup souffrent de problèmes réels, comme les
patients opérés de la prostate, les diabétiques, les
personnes atteintes de maladies rénales, les hypertendus et les individus atteints d'artériosclérose.
Mais, d'un autre côté, l'existence du Viagra a modifié le comportement sexuel humain, et des hommes
en parfaite santé veulent, grâce à la pilule bleue,
devenir de véritables Supermans. En comparaison
de ce que la chimie peut leur apporter, ce dont la
nature les a dotés leur paraît perfectible. Les Britanniques Graham Hart et Kaye Wellings, spécialistes
de la santé, constatent ainsi : "Beaucoup d'hommes,
qui trouvaient jusqu'ici leur libido normale et accep-
table, sont maintenant mécontents de leur vie
sexuelle[9]."

Les fabricants de médicaments anti-panne se char-
gent d'exacerber encore ces désirs masculins. Ils
démarchent de nouveaux clients par l'intermédiaire

de publicités explicatives sur l'impuissance, pardon : sur la "dysfonction érectile". Ou encore grâce à des questionnaires, que les hommes peuvent remplir dans l'intimité d'Internet. "Evaluez vous-même vos performances, propose l'entreprise Lilly, et discutez des résultats avec votre médecin[10]."

Et, par ailleurs, les entreprises du médicament déploient leur énergie à faire connaître et reconnaître l'impuissance comme une affection largement répandue et dangereuse. "Les troubles de l'érection représentent un trouble médical courant qui doit être pris au sérieux : environ 50 % des hommes âgés de quarante à soixante-dix ans en sont atteints", affirme Pfizer[11]. Cette déclaration peu nuancée est trompeuse. L'étude Male Aging, menée au Massachusetts sur mille trois cents hommes, a en effet montré que la déficience érectile n'était totale que dans 10 % des cas. Pour 25 % des hommes, la gêne était "modérée", et pour 17 % "minime".

L'industrie passe volontiers sous silence d'autres enquêtes sur l'impuissance qui ont mis au jour des chiffres bien plus bas. Un sondage auprès de quatre mille cinq cents Allemands âgés de trente à quatre-vingts ans, le Cologne Male Survey, a par exemple montré que le calme plat ne régnait que chez 19,2 % des individus sondés, dont la moyenne d'âge était de cinquante-deux ans. Et d'après une enquête italienne, seuls 2 % des hommes de moins de trente-neuf ans interrogés se plaignaient de ce que la volonté ne suffisait pas toujours. Il est en outre attesté que la fréquence de l'impuissance augmente avec l'âge[12].

Pourtant, les campagnes de publicité de Pfizer présentent de plus en plus souvent des hommes jeunes et en bonne santé – dans le but flagrant de gagner un nouveau marché. Si d'anciennes publicités faisaient par exemple appel à l'ex-sénateur américain Bob Dole, qui, à soixante-quatorze ans, déclarait souffrir d'impuissance, l'entreprise s'est tournée début 2002 vers un public plus jeune : elle a ainsi choisi pour partenaire publicitaire le coureur automobile Mark Martin, âgé de quarante-trois ans et très populaire aux Etats-Unis. Sur le capot de sa vrombissante Ford Taurus comme sur son sweatshirt s'étale à présent le mot magique "Viagra". L'entreprise use du même ton léger dans un communiqué publicitaire où un quadragénaire séduisant demande insolemment : "Tu penses vraiment être trop jeune pour le Viagra[13] ?"

Le fait que des hommes jeunes, à vrai dire bien portants, veuillent avaler des excitants pour renforcer leur capacité d'érection semble être lié à la nature du produit lui-même. "Tout ce qui a à voir avec le sexe sert inévitablement à optimiser le mode de vie", constate l'urologue Hartmut Porst. Se procurer ces médicaments uniquement délivrés sur ordonnance est un véritable jeu d'enfant. Le Viagra et ses petits frères peuvent être commandés sur Internet – sans qu'il ait été nécessaire de consulter un médecin. D'après Hartmut Porst, "on ne peut éviter que des individus sains prennent le produit pour avoir de meilleures érections".

Rien d'étonnant, dans ce cas, à ce que les experts en marketing se disent confiants. En Allemagne, le chiffre d'affaires des produits anti-panne – dominé par le Viagra jusqu'au début de l'année 2003 – tournait autour de 50 millions d'euros par an. Mais avec les nouveaux produits concurrents Cialis et Levitra

– et leurs campagnes publicitaires –, le chiffre d'affaires devrait encore augmenter de manière drastique et atteindre, selon les analystes, 150 à 200 millions d'euros par an.

Dans le même temps, les caisses d'assurance maladie allemandes subissent des pressions pour que soit remboursé ce type de produits. Pour financer le sexe sur ordonnance, des dépenses à hauteur de plusieurs millions menacent ainsi le système de santé.

Si l'on parvient à trouver une nouvelle indication pour les cachets du sexe, la prise en charge du coït par les caisses de maladie pourrait bien devenir une réalité. C'est exactement ce que tentent déjà d'obtenir certains médecins : le Viagra ne doit plus seulement servir de traitement contre les troubles de l'érection, mais aussi permettre de préserver la santé du pénis. Cette fois encore, l'urologue Irwin Goldstein joue les chefs de file. "Si vous souhaitez encore avoir une activité sexuelle dans cinq ans, prenez un quart de comprimé tous les soirs", déclarait le Dr Sexe à New York, lors d'une manifestation sponsorisée par Pfizer. Le Viagra quotidien serait à même de prolonger les érections nocturnes et préserverait ainsi le fonctionnement des cellules musculaires lisses des corps caverneux. Mais les preuves scientifiques qui justifieraient un traitement prophylactique au Viagra font encore cruellement défaut[14].

Leonore Tiefer, de l'université de New York, qualifie de "quasi grotesque" cette récente tentative de la pharmacologie anti-panne[15]. Féministe sensée, cette sexologue redoute l'avènement d'un monde où les individus des deux sexes ne se rencontreraient qu'après s'être dopés aux médicaments. Les amourettes du troisième âge pourraient avoir des effets incalculables. "Le vagin de vingt ans de la vieille dame de soixante ans rencontrera bientôt l'érection de vingt ans du vieux monsieur de soixante ans, prédit Leonore Tiefer. Je ne suis pas certaine que les organes génitaux tiennent le coup."

Reste une maigre consolation : les nouveaux produits anti-panne et les pilules du désir provoqueront indirectement de bien belles morts, les *mors in coitu*. Le pénis, "respectable symbole en soi" (selon Friedrich Nietzsche), est en effet un miroir important de la santé masculine. Si le membre viril fléchit, une menace d'infarctus ou d'attaque guette peut-être son propriétaire. Un tel candidat, qui, grâce aux produits anti-panne, aurait à nouveau des relations sexuelles après des années d'abnégation, pourrait bien se retrouver, en passant par le septième ciel, directement devant saint Pierre.

X

ON N'ÉCHAPPE PAS A SES GÈNES !

La séquence n'est que le début...

J. CRAIG VENTER

La naissance de l'*Homo geneticus* fut officiellement annoncée à la Maison-Blanche le 26 juin 2000 et fêtée comme le couronnement de l'empereur, à grand renfort d'encens, d'orgues et de fanfares. Le président des Etats-Unis Bill Clinton et le Premier ministre britannique Tony Blair s'adressèrent au monde entier, entourés des plus hauts dignitaires de la science. L'humanité dépliait en ce jour la carte de contrées nouvelles, sans doute la plus importante et la plus exceptionnelle encore jamais tracée par l'être humain, annonça Clinton. Celle-ci offrait la chance "de comprendre enfin la langue dans laquelle Dieu avait conçu la vie".

Cette fameuse carte, c'était le génome humain – c'est-à-dire l'ensemble de tous les chromosomes –, dont la séquence, composée de milliards de paires de base, venait d'être presque entièrement décryptée. Or, si les chercheurs ont pu proposer et réaliser grâce aux milliards des contribuables l'immense projet du génome humain, ce n'est qu'en promettant aux politiques et aux citoyens que la découverte de la séquence permettrait d'améliorer la santé de l'être humain. Le code ADN était décrit comme un terrain d'application pour de nouveaux traitements contre des maladies héréditaires et de nombreuses maladies en partie conditionnées par la génétique.

Le jour du décodage officiel fut riche de promesses. Bill Clinton félicita Tony Blair de la naissance de son fils, soulignant que son espérance de vie avait en ce jour gagné vingt-cinq ans. Le président américain prophétisa pour les années à venir l'éradication de l'alzheimer, de la maladie de Parkinson, du diabète et du cancer. La découverte du génome représentait la promesse d'une vie meilleure – pour tous les citoyens de la planète.

Aujourd'hui, les premiers produits censés amorcer ce processus sont disponibles sur le marché. Il s'agit de tests génétiques mis à la portée de tout un chacun et qui doivent nous permettre d'être en meilleure santé.

"Les gènes, explique la biologiste Rosalynn Gill-Garrison, peuvent révéler à chacun de nous l'alimentation qui lui est adaptée et le mode de vie qu'il doit mener." L'Américaine, employée par l'entreprise Sciona, a développé le tout premier test génétique disponible en supermarché : fondé sur l'examen de neuf gènes, le procédé, baptisé "You & Your Genes" ("Vous et vos gènes"), devrait nous faire cadeau d'une "vie plus saine" et "plus longue". Les clients de ce produit sont des individus bien portants, qui croient aux promesses de l'industrie de l'art de vivre.

Sciona propose son analyse génétique dans le monde entier : sur Internet, par téléphone – et même, au printemps 2002, dans des filiales du Body Shop, en Angleterre. La chaîne de produits de beauté implantée dans le monde entier, qui honnit justement les tests sur les animaux et encense le recyclage, ouvre ainsi la voie d'une médecine à la Aldous Huxley. L'"analyse radicalement novatrice" du patrimoine génétique garantissait, *dixit* le Body Shop, que "le corps et l'alimentation travaillaient ensemble en parfaite harmonie". Les clients du test génétique doivent remplir un questionnaire relatif à leurs habitudes alimentaires et à leur consommation d'alcool et de tabac, puis frotter un coton-tige spécial contre l'intérieur de la joue pendant une minute environ. Quelque deux mille cellules adhèrent alors au coton-tige, que le client, après l'avoir enfermé dans un tube, fait parvenir à Sciona.

L'entreprise s'est installée dans un parc économique de Havant, dans le Sud de l'Angleterre. Le ministère du Commerce et de l'Industrie de Grande-Bretagne a même décerné à cette nouvelle fondation le *Smart Award*, un prix de recherche convoité. Dans les laboratoires flambant neufs, les chercheurs extraient tout d'abord le patrimoine génétique des échantillons cellulaires envoyés. L'étape suivante consiste ensuite à copier les gènes cibles en millions d'exemplaires. A la suite de cette démultiplication, un procédé particulier de coloration permet de reconnaître la variante génique de l'individu. Quelques semaines plus tard, le client reçoit le résultat, assorti d'un "profil génétique".

S'il n'en tenait qu'à Sciona, le procédé d'analyse, dont le prix s'élève à 120 livres, serait déjà en vente dans les magasins d'Amérique et d'Europe continentale. Mme Gill-Garrison, directrice de la recherche, songe dès à présent aux possibilités d'expansion. Un marché international, qui échappe à tout contrôle ou presque, a d'ores et déjà vu le jour sur Internet. Outre des prestataires américains et anglais, deux entreprises originaires de l'espace germanophone commercialisent aujourd'hui librement des analyses génétiques sur Internet. Cette forme de commercialisation des tests est interdite aux médecins, car ceux-ci, d'après le droit civil, ne sont pas autorisés à faire de la publicité pour des tests prévisionnels (prophylactiques). Paradoxalement, cela ne vaut que pour les médecins – et c'est ainsi qu'une ingénieur diplômée dirige à Berlin une entreprise de ce type : Gentest24. En échange de 500 à 1 600 euros et après envoi d'un échantillon de salive, l'entreprise fait analyser une série de caractéristiques de l'ADN par un laboratoire de génétique berlinois. L'analyse du patrimoine génétique révélerait prétendument les risques pour le client d'être atteint de la maladie d'Alzheimer, d'un cancer du sein ou du côlon, d'ostéoporose, de troubles de la coagulation et de différentes maladies du métabolisme. De son côté, le Centre de diagnostic individuel, installé à Francfort-sur-le-Main, s'applique à déterminer l'existence de prédispositions génétiques à l'infarctus, à l'obésité, aux comportements de dépendance, aux troubles liés à la ménopause et à l'hypertension. Le diagnostic génétique permettant d'obtenir un "profil de risques anti-âge" coûte par exemple 653,61 euros. L'entreprise donne adroitement l'impression que ces tests génétiques constituent une mesure préventive, au même titre qu'arrêter de fumer : "Seul celui qui connaît les risques qui le menacent peut s'en protéger[1]."

Quant à elle, l'entreprise américaine Neuromark Diagnostics est actuellement à la recherche de patrimoines génétiques prétendument en rapport avec la dépendance, les dépressions, la boulimie, les troubles de l'angoisse et l'hyperactivité. Il s'agit de disposer au final d'un modèle de vingt à cinquante gènes-clés permettant de prédire le comportement humain. La mise au point d'une telle boule de cristal biotechnologique serait une véritable révolution – mais elle demeurera une escroquerie high-tech. Pourquoi ? Parce que les faits et gestes de l'être humain sont bien trop complexes pour être prédits par une simple puce génétique.

Par conséquent, les prestations offertes par l'entreprise Sciona paraissent elles aussi bien douteuses : elles reposent sur le fait que l'identité génétique d'un individu est unique. Une paire de base sur mille environ diffère d'un individu à l'autre, ce qui, rapporté à la totalité des trois milliards de bases, donne quand même trois millions de différences.

Cette diversité génétique est un précieux héritage de l'évolution, car elle garantit les chances de survie de l'*Homo sapiens* – par exemple, dans le combat contre les rusés agents pathogènes. Le patrimoine génétique de l'être humain recèle quantité de différences de ce type, que les biologistes nomment polymorphismes. Ceux-ci peuvent concerner différents processus physiologiques. On peut par exemple citer le polymorphisme relatif à la digestion des asperges, qui diffère selon les individus : l'urine de certaines personnes dégage, après ingestion de cet aliment, une odeur anormalement forte.

Aussitôt que le "profil génétique" d'un client a été déterminé, les employés de Sciona bricolent un compte rendu personnel à partir de lieux communs. Celui-ci dispense des conseils nutritifs à la lumière de l'analyse du patrimoine génétique. Mais, à y regarder de plus près, il s'agit là d'une absurdité déguisée en vérité scientifique : "Vous et vos gènes" analyse en effet neuf gènes jouant un rôle dans l'assimilation de l'alimentation. Toutefois, seuls six des gènes ayant un lien avec l'élimination physiologique des toxines sont testés. Pour de simples raisons statistiques, il se trouve donc presque toujours dans cette zone une différence. Sciona affirme cependant que les enzymes-clés pourraient alors "travailler" à une vitesse susceptible d'être inadaptée à l'élimination des toxines. Les explications évasives débouchent sur des conseils valables pour tout un chacun : il convient d'éviter de consommer de la viande trop grillée et de manger beaucoup de légumes.

D'autres conseils de Sciona sont tout aussi banals : les comprimés de vitamines et les fruits sont recommandés ; les cigarettes sont à éviter et l'alcool ne doit être consommé qu'avec modération. Rosalynn Gill-Garrison, chercheuse chez Sciona, avoue que ses coûteux conseils n'ont rien de très original. "Les bonnes recommandations ne manquent pas, déclare-t-elle. Mais les nôtres sont sans doute suivies plus sérieusement, parce qu'elles se fondent sur un test personnel. Pour la première fois, nous pouvons dire aux gens ce qui, en raison de leurs gènes, est bon pour eux."

Cette affirmation manque cependant totalement de fondement. Même si l'analyse de Sciona révèle qu'un gène ne fonctionne que de manière restreinte, cela n'indique en rien que l'état de santé général en pâtit. "Les prétendus effets sur la santé des polymorphismes analysés ne sont absolument pas prouvés", critique Peter Propping, généticien à l'université de Bonn. Comme on l'a vu plus haut, Sciona se fonde sur l'analyse de neuf gènes – or, au total, ce sont des centaines de segments du patrimoine génétique qui jouent un rôle dans l'assimilation de l'alimentation. La manière dont se déroulent ces interactions complexes est encore à découvrir. "Nous ne connaissons même pas encore avec précision les liens entre les gènes et l'alimentation", déclare le scientifique britannique Roland Wolf, de l'université de Dundee. Sans compter l'influence non négligeable qu'exerce l'environnement sur la santé.

Il est en outre absurde de tester, comme le fait Sciona, le gène codant l'alcool déshydrogénase, dont beaucoup d'Asiatiques possèdent une variante sans effet. Car celui qui possède l'enzyme défaillante se rendra compte lui-même assez tôt des conséquences : l'alcool, même en quantité très restreinte, déclenche la production d'un produit intermédiaire nuisible dans le corps – rougeurs, malaises et palpitations sont les symptômes de cet empoisonnement.

Au printemps 2002, une délégation de la Human Genetics Commission de Grande-Bretagne visita les laboratoires de Sciona récemment inaugurés et rendit son jugement dans un rapport : "Nous n'avons pas connaissance d'études scientifiques solides qui auraient montré qu'une modification du régime alimentaire conditionnée par la carte d'identité génétique d'un individu serait d'une influence quelconque sur la santé[2]."

Des experts allemands déconseillent de se soumettre à de telles analyses. "Ce ne sont que des bêtises, sans aucune valeur, déclare le généticien Peter Propping. Qu'un tel test génétique soit proposé sur le marché libre est une véritable catastrophe." Les dirigeants du Body Shop se sont eux aussi finalement rangés à cet avis – quelques mois à peine après son lancement, ils rayèrent de leur catalogue le fameux test génétique.

"Vous et vos gènes" a encore d'autres raisons de laisser songeur : 20 à 40 % de la population présente une variante prétendue médiocre d'un gène analysé. Chez la plupart des individus, les chercheurs mettent par conséquent au jour cinq ou six de ces variations. Statistiquement, presque aucun être humain ne possède donc un patrimoine génétique parfait – d'après les critères de l'entreprise Sciona. Grâce au test, la plupart des êtres humains sont ainsi déclarés génétiquement déviants.

Jusqu'à présent, ces tests n'ont préservé l'être humain d'aucune maladie. Ils déclenchent même exactement le contraire : une extension du domaine de la maladie, car l'analyse génétique permet de transformer en patients quantité d'individus bien portants.

"Notre société subit un processus de génétisation, constate le philosophe néerlandais Henk Ten Have. Facette du bien plus vaste processus de médicalisation, ce processus donne lieu à une redéfinition de l'individu par des notions génétiques, à une nouvelle langue qui décrit et interprète la vie et le comportement humain dans un vocabulaire fait de codes, d'esquisses, de caractéristiques, de disposition et de complexion génétique, et à une conception génétique de la maladie, de la santé et du corps humain[3]."

Les tests génétiques n'apportent des renseignements utiles que dans le cas de certaines pathologies. Deux cent quatre-vingts maladies environ peuvent être aujourd'hui dépistées grâce à des tests génétiques, et leur nombre augmente rapidement[4]. Pour beaucoup de maladies héréditaires, l'examen des gènes permet d'établir un pronostic sûr, notamment pour les affections engendrées par le défaut d'un seul gène, où une défaillance apparemment minuscule peut entraîner l'apparition de symptômes graves, voire la mort. Dans le cas de ces maladies dites monogéniques, les tests génétiques permettent de déterminer avec clarté si un individu est atteint ou s'il ne l'est pas. Il est ainsi possible d'influencer les risques futurs d'un individu, mais aussi les risques de maladie au sein des générations à venir : grâce à des examens prénatals et à des avortements sélectifs. On compte jusqu'à cinq mille maladies monogéniques ; par bonheur, elles sont très peu répandues dans la population et ne représentent "que 2 à 3 % de l'ensemble des maladies", ainsi que le signalent Günter Feuerstein et Regine Kollek, tous deux sociologues de la médecine à Hambourg[5].

Si l'on considère les proportions selon lesquelles les chercheurs examinent le génome humain, il paraît évident qu'ils appliquent le diagnostic génétique à des maladies qui ne sont en réalité que faiblement conditionnées par l'ADN. Le cancer et les maladies cardiovasculaires en sont un exemple : dans ces maladies très répandues, une multitude de gènes jouent, en plus des influences externes, un rôle déterminant – elles sont alors dites polygènes. Depuis 1982, plus de vingt gènes responsables du transport des graisses dans le sang ont par exemple été découverts – il est pensable que l'interaction de ces gènes, si elle est défaillante, favorise une sclérose pathologique des vaisseaux sanguins. Quant aux maladies tumorales, leur cas est encore plus complexe : les chercheurs ont déjà découvert plus de soixante proto-oncogènes qui, s'ils sont modifiés par une mutation, peuvent transformer une cellule saine en une cellule cancéreuse maligne.

Dans le cas d'autres maladies polygènes telles que le diabète, la maladie d'Alzheimer et la thrombose veineuse, les chercheurs ont également identifié ces dernières années un grand nombre de gènes, dont la fonction bien souvent n'est pas assez ou même pas du tout comprise. Cette part génétique des affections existe sous différents modèles. Dispersés sur l'ensemble du patrimoine génétique humain, ceux-ci n'ont qu'une influence restreinte sur chacun des risques de maladie[6]. Il est vrai que les chercheurs espèrent, grâce à ce modèle génétique, pouvoir établir des pronostics sûrs quant au risque de maladie – pour cela, il sera néanmoins nécessaire de réussir un tour de force en tenant compte des influences externes.

Les tests génétiques ne révèlent pas encore le moment que choisit une maladie polygénique pour se déclencher, ni la façon dont elle va évoluer – même si des entreprises privées comme Sciona et Gentest24 suggèrent le contraire. Les variantes polygéniques étant très répandues, il y a en effet là la promesse d'affaires juteuses. Résultat : des laboratoires pharmaceutiques, tels Roche et Novartis, coopèrent avec de petites entreprises biotechnologiques qui développent de nouveaux tests[7].

Or, l'examen génétique ne fournit – dans le meilleur des cas – que des informations purement statistiques sur les risques. Il ne s'agit que de probabilités. Pour les personnes testées "positives", il n'est pas simple de le comprendre. En outre, le résultat peut avoir un effet pervers. Commercialisé avec succès aux Etats-Unis, le test génétique pour le cancer héréditaire du sein et des ovaires en est un exemple éloquent. Dans sa publicité, le fabricant américain Myriad Genetic Laboratories s'adresse directement aux femmes. "Y a-t-il des cas de cancer du sein et des ovaires dans votre famille ? Vous pouvez réduire vos risques. Nous pouvons vous y aider."

Le test génétique, qui coûte la bagatelle de 2 500 euros, permet certes de déterminer si une femme est porteuse d'un des deux gènes du cancer, le BRCA1 et le BRCA2. Mais il ne permet en aucun cas de dire si, en présence d'un de ces gènes, la maladie va réellement se déclencher. Les femmes dont les résultats sont positifs doivent prendre la décision de se faire ou non retirer les ovaires et les deux seins de manière prophylactique. De nombreuses Américaines et quelques Allemandes se sont ainsi fait amputer, et ce, en dépit du fait que 40 à 50 % des porteuses de ces gènes ne développent apparemment jamais de cancer du sein et 80 % jamais de cancer des ovaires.

D'ailleurs, même lorsqu'il s'agit de maladies héréditaires pour lesquelles la recherche est très avancée, les gènes peuvent mentir. Dans le cas de la mucoviscidose (également appelée fibrose kystique), qui est la maladie héréditaire la plus répandue en

Europe centrale, 3 à 5 % des porteurs purement héréditaires ne développent jamais la maladie.

La séquençage du génome humain fera ainsi apparaître des millions de variantes génétiques, que les médecins seront forcément tentés de présenter comme déviantes, indésirables et pathologiques – des jours glorieux s'annoncent pour les inventeurs de maladies.

Les scientifiques anglais David Melzer et Ron Zimmern mettent en garde contre cette pratique qui consiste à classer les individus en "sains" et en "malades" selon leurs caractéristiques génétiques. "En montrant que le génome de chaque individu est différent et que, d'une certaine manière, nous sommes tous «hors norme», la génétique nous contraint à repenser dans une démarche fondamentale le concept de normalité en tant que tel[8]."

Même si le profil génétique semble suggérer le contraire, seuls les états qui nuisent au bien-être des patients ou le menacent doivent être considérés comme maladies. La maladie de Gilbert est l'exemple typique d'un phénomène physiologique que l'on peut diagnostiquer, mais qui ne nuit en rien à celui qui en est atteint : lorsqu'elles sont soumises au stress, les personnes touchées présentent un taux élevé d'enzymes du foie. Le génome humain cache ainsi bien des variantes qui – comme la maladie de Gilbert – sont peut-être intéressantes d'un point de vue scientifique, mais sans importance pour la santé. Dans le magazine scientifique *Science*, Larissa Temple, médecin au Canada, s'insurge contre cette nouvelle habitude d'étiqueter comme patients des individus bien portants, et ce, en raison de leur profil génétique : "Tant qu'il n'a pas été prouvé qu'une mutation révèle un risque précis de conséquences nuisibles, les individus porteurs de cette mutation ne devraient pas être considérés comme atteints d'une maladie."

Les chercheurs vont rencontrer dans le génome humain une myriade de petites variations génétiques. Définir les conséquences négatives qu'elles pourraient avoir et déterminer les risques de manière adéquate représente donc un travail de titan – que l'on ne pourra peut-être même jamais mener à bien[9].

La plupart des caprices de la nature – la forme des oreilles en est un exemple visible – se répartissent uniformément sur la population et, pour beaucoup, ne sont même pas perceptibles. S'ils sont liés à des symptômes, ceux-ci peuvent apparaître avec plus ou moins d'intensité selon les individus : les gènes ne dessinent pas de frontières nettes. Afin de distinguer entre "sain" et "malade" dans le continuum que la nature a constitué, les médecins utilisent des critères arbitraires soumis aux phénomènes de mode – qui sont loin d'être rares en médecine. "Au fil des années, les frontières du diagnostic et du traitement ont été progressivement repoussées", constatent David Melzer et Ron Zimmern, spécialistes de la santé à Cambridge. Par conséquent, de plus en plus d'individus souffrant de symptômes légers ou présentant un risque réduit ont été rangés dans la catégorie "malades".

La médecine moderne encouragerait cette tendance, s'inquiètent les deux scientifiques : les tests (appelés marqueurs) relatifs à des caractéristiques génétiques qui "sont sans conséquence sur un demi-siècle ou plus pourraient devenir de nouveaux exemples de la manière dont une médicalisation prématurée se déroule : on colle une étiquette «malade» au patient, avant même de savoir s'il existe une prévention ou un traitement pertinents[10]".

C'est ainsi que le génome devient un facteur de risque médical. Quant au diagnostic, il ne connaît plus de limites : un homme en bonne santé est un homme dont le patrimoine génétique n'a pas ou pas suffisamment été examiné.

Les conclusions d'une analyse génétique, même si elles ne révèlent rien ou pas grand-chose d'un point de vue scientifique sur la santé future de l'être humain, peuvent ainsi être utilisées pour présenter des individus comme anormaux ou malades. Conséquence immédiate : celui qui porte une telle tare risque d'être désavantagé par les compagnies d'assurances et les employeurs.

En Allemagne, les compagnies d'assurance vie et maladie se sont spontanément engagées jusqu'en 2006 à ne pas exiger de tests génétiques et à ne pas demander à consulter des résultats déjà existants. Ce renoncement ne vaut toutefois que pour les polices d'assurance inférieures à 250 000 euros. Dans le cas de sommes supérieures, le client doit présenter les résultats des analyses auxquelles il se serait déjà soumis.

LES CONCLUSIONS HÂTIVES DE LA GÉNÉTIQUE

Un coup d'œil vers les Etats-Unis montre combien il est important de réglementer ce sujet houleux grâce à une loi sur les technologies génétiques : au moins six entreprises américaines soumettent leurs employés à des analyses pour déterminer s'ils réagissent de manière particulièrement sensible à des substances avec lesquelles ils pourraient entrer en contact pendant leur travail. Les personnes sensibles ne sont pas engagées. De la même manière, les personnes porteuses du gène de la thalassémie ne peuvent accéder à certains emplois aux Etats-Unis – et ce, alors qu'elles ne sont que *porteuses* de cette caractéristique et en parfaite santé. Quand les deux versions du gène subissent une mutation, les globules rouges circulant dans le corps des individus touchés se rétractent par manque d'oxygène. L'armée de l'air américaine avait ainsi fermé l'accès de son académie aux porteurs de ce gène, même bien portants ; dans les compagnies aériennes, ils ne pouvaient être engagés qu'en tant que personnel au sol, jamais comme hôtesses ou stewards, et encore moins comme pilotes. La discrimination génétique toucha presque exclusivement des citoyens américains de couleur, qui sont plus souvent porteurs de cette variante génétique. A la suite de vives protestations, les restrictions furent toutefois levées[11].

Dans les années à venir, il est probable que seront découvertes dans le patrimoine génétique humain de nombreuses variantes susceptibles de conduire aux mêmes fausses conclusions et discriminations. Par ailleurs, la découverte chez un individu d'un prétendu défaut de son génome risque de l'angoisser et de le priver de sa joie de vivre. "Le résultat du test qui énonce un risque statistique plus ou moins certain apparaît comme une hypothèque qui pèse sur la vie de la personne en bonne santé", s'inquiètent les experts Günter Feuerstein et Regine Kollek. Parallèlement au nombre de diagnostics génétiques, le nombre de gens qui ne comprennent pas le résultat complexe du test et sont laissés seuls face à leurs angoisses augmente. "Les gens ont de plus en plus conscience de ce que des facteurs génétiques identifiables contribuent à l'apparition de presque toute maladie, et cela ne restera pas sans conséquence sociale, met encore en garde Jörg Schmidtke, généticien à la faculté de médecine de Hanovre. Le défaut du patrimoine devient un défaut de l'individu lui-même."

Nous savons bien que l'être humain peut subitement tomber gravement malade et en mourir. Cette hypothèse, que nous refoulons le plus souvent, devient, par l'intermédiaire d'un test génétique positif – même spéculatif –, une menace précise dont il n'est plus possible de se défaire. Une nouvelle catégorie d'individus apparaît ainsi : celle des "malades bien portants" ou des "pas encore malades".

Le suivi médical de cette nouvelle catégorie de patients sera bientôt une donnée réelle du système de santé, d'autant plus que les tests génétiques verront encore croître leurs domaines d'application. Pour l'industrie pharmaceutique, cela représente un marché de taille. Son but est alors de développer des médicaments pour des individus qui ne souffrent d'aucun symptôme, mais dont le modèle génétique est anormal. Pourquoi ne pas vanter la prise quotidienne d'aspirine auprès des individus qui, d'après leurs gènes, ont une tendance à l'infarctus ? Et pourquoi ne pas prescrire de manière purement préventive des comprimés pour la mémoire à ceux que la nature a prétendument pourvus de cerveaux à alzheimer ? Il y eut un temps où la médecine préventive avait pour but de tenir les gens à distance du système de santé – à l'ère du diagnostic génétique, son rôle est de les en rapprocher.

Le cas du diabète bronzé (hémochromatose), relativement courant, illustre bien comment la recherche génétique favorise déjà concrètement la médicalisation. Les ouvrages spécialisés indiquent que cette maladie héréditaire touche un individu sur quatre cents. Les personnes atteintes ne souffrent d'aucun symptôme, mais leur corps accumule une quantité excessive de fer, ce qui, à terme, peut conduire à une cirrhose du foie, un diabète ou une insuffisance cardiaque. L'excès de fer, et par conséquent les dommages qu'il entraîne, pourraient être évités grâce à des dons de sang réguliers – à condition que les individus touchés apprennent suffisamment tôt qu'ils souffrent d'une maladie héréditaire. Dans le cadre d'un dépistage sans commune mesure en Allemagne, la caisse d'assurance maladie de Hanovre a soumis six mille assurés à des examens visant à détecter le diabète bronzé. Pourtant, moins de 1 % des individus chez qui le gène responsable a subi une mutation tombent réellement malades. Le test génétique de l'hémochromatose identifiait donc "plus un risque génétique qu'une maladie", estime Wylie Burke, de l'université de Washington, à Seattle. Une telle situation nous place face à un véritable dilemme : pour un malade aidé, quatre-vingt-dix-neuf personnes sont transformées en malades bien portants[12].

Le sociologue Günter Feuerstein, qui analyse l'influence des recherches génétiques sur les caisses d'assurance maladie, met en garde contre les dépenses phénoménales qu'elles engendreraient : "A l'avenir, des individus bien portants seront massivement déclarés malades. Commencer à administrer aux gens des médicaments et des traitements dès la prime jeunesse serait complètement déraisonnable financièrement." Les tests génétiques pourraient ainsi ruiner le système de Sécurité sociale.

IL NE SUFFIT PLUS D'ÊTRE EN BONNE SANTÉ

La prévention des maladies héréditaires et l'élimination des gènes pathogènes font partie intégrante de la science depuis 1883. C'est à cette date que l'Anglais Francis Galton, cousin du naturaliste Charles Darwin, fonda l'eugénique et créa le premier institut de ce type, le Galton-Laboratorium de Londres. Le savant considérait que les dispositions physiques et psychiques des Anglais ne permettaient pas de régner sur un empire mondial. Grâce à l'eugénique (du grec *eu*, "bien", et *genos*, "race"), il comptait multiplier dans la population les profils héréditaires favorables.

Au début du XXᵉ siècle, l'eugénique était une théorie populaire qui faisait de nombreux émules – notamment quand il s'agissait d'éliminer des caractéristiques héréditaires prétendues mauvaises : en Norvège et en Suède, les malades mentaux, les criminels et les homosexuels furent stérilisés. L'eugénique fournit en outre aux Allemands le fondement qui devait permettre la discrimination et le génocide. Le 18 août 1939, il devint obligatoire de déclarer les nouveau-nés mal formés. L'Allemagne nazie devait être définitivement "purifiée" des handicapés. Aux Etats-Unis, au moins soixante mille hommes et femmes ont été stérilisés de force en raison de prétendues maladies héréditaires. En décembre 2002, le gouverneur de l'Oregon a officiellement présenté ses excuses pour les deux mille six cents personnes stérilisées contre leur volonté dans son Etat.

La biologie moderne offre une nouvelle vie aux enseignements de l'orthogénie. Les généticiens anglais Gordon Ferns et David Galton estiment que l'eugénique doit à présent être définie comme "l'utilisation de la science dans le but d'améliorer qualitativement et quantitativement le génome humain[13]". Les gènes jugés, à tort ou à raison, responsables de maladies sont actuellement identifiés dans le cadre des recherches sur l'identité. Grâce à cette connaissance, les deux objectifs de l'eugénique deviennent réalisables.

Les caractères héréditaires jugés "mauvais" sont éliminés : en raison de leur profil génétique, certains individus se retrouvent dans une caste biologique inférieure. Ils ont beaucoup plus de difficultés à trouver du travail, sont plus rarement promus. Il leur est difficile d'obtenir des crédits et de souscrire à une assurance vie ou maladie – autant de facteurs qui réduisent les perspectives de reproduction de ces individus.

Les caractères héréditaires jugés "bons" sont multipliés : des embryons issus d'un procédé artificiel sont soumis à des analyses génétiques, et seuls les meilleurs embryons sont alors implantés dans l'utérus de la mère. On estime que cette technique (diagnostic préimplantatoire), encore interdite en Allemagne, a été utilisée à l'étranger par des parents et des médecins pour environ mille enfants, jusqu'à ce jour toujours dans le but d'éviter de graves maladies héréditaires. Mais l'analyse se développera, pour identifier les gènes de maladies et d'anomalies polygéniques.

A Chicago, une femme de trente ans, elle-même généticienne, a fait tester ses embryons fécondés artificiellement pour dépister une mutation responsable de l'apparition précoce de la maladie d'Alzheimer. Sans cette analyse, le risque pour le bébé de devenir sénile à quarante ans aurait été de 50 %. De cette manière, la jeune femme mit au monde une petite fille bien portante[14].

Dans de rares cas, un patrimoine génétique sain ne suffit pas pour venir au monde – quand le bébé présélectionné génétiquement doit par exemple en même temps servir de donneur d'organes. Le premier enfant de ce type s'appelle Adam Nash. Il est né en automne 2002 pour sauver sa grande sœur. Quelques secondes à peine après sa naissance dans une clinique américaine, les médecins prélevèrent du sang sur le cordon ombilical et introduisirent ensuite les cellules extraites dans le corps de la petite Molly. Agée de six ans, la petite fille anémique disposait ainsi, grâce au don de son petit frère, d'un remède efficace, car bien supporté.

Mais le petit sauveur n'était pas envoyé par le ciel. Il avait en effet été sélectionné par un généticien. Adam a été fabriqué dans la cornue en même temps qu'une douzaine d'embryons. Les médecins ont soumis les germes à un test génétique, et c'est Adam qui l'a réussi : les caractéristiques de ses tissus correspondaient le mieux à celles de sa sœur. C'est donc lui que sa mère a porté et mis au monde : comme fils et comme donneur.

"Nous avons franchi une limite qui n'avait jamais été franchie auparavant, estimait à l'époque le bioéthicien Jeffrey Kahn, de l'université du Minnesota. Nous avons fait une sélection en vertu de caractéristiques qui sont les meilleures non pas pour l'enfant à naître, mais pour un autre individu." Serait-ce là le début d'une ère nouvelle ? Manfred Stauber, de la clinique gynécologique de l'université de Munich, craint en effet que la production "d'enfants présentant le plus grand nombre de caractéristiques souhaitées puisse devenir monnaie courante[15]".

Adam, qui grandit joyeusement dans l'Etat du Colorado, est le précurseur d'une médecine encore inconnue : ses gènes sont bons pour lui et en même temps utiles à une autre personne. Adam est plus qu'en bonne santé.

XI

EN PLEINE FORME, ET FIER DE L'ÊTRE !

Si vous en usez comme cela,
On ne voudra plus être malade.

MOLIÈRE

Le commerce de maladies nous promet un destin semblable à celui des habitants de Saint-Maurice, le fameux petit bourg dans lequel le Dr Knock avait installé son cabinet : pour finir, seules doivent rester en bonne santé les personnes indispensables aux soins prodigués à la foule de grabataires.

En pénétrant les domaines personnels et sociaux de la vie, la médecine est devenue dans les sociétés occidentales plus puissante que jamais. Ce triomphe de la discipline a trois paradoxes pour conséquences : premièrement, les coûts du système de santé connaissent une croissance sans limites – sans pourtant que l'on puisse identifier un plus équivalent dans le domaine de la santé. Deuxièmement, les médecins perdent leurs illusions – le nombre de médecins qui regrettent leur choix professionnel a dramatiquement augmenté. Troisièmement, la population n'est pas le moins du monde en meilleure santé – au contraire, les gens se sentent de plus en plus malades.

La médicalisation globale de notre vie joue un rôle déterminant dans le fait que les systèmes de santé ne peuvent plus être financés. Les dépenses de la Sécurité sociale publique atteignent chaque année de nouveaux sommets : elles sont passées de 97,6 milliards d'euros en 1991 à 142,6 milliards d'euros en 2002. Rien qu'en Allemagne, 4,1 millions de personnes gagnent aujourd'hui leur vie au sein du système de santé. Ce qui signifie qu'elles tirent leurs revenus du fait que d'autres sont – ou se sentent – malades.

Si la quantité de maladies au sein de notre société était "finie", la concurrence des métiers de la santé entraînerait, selon l'experte américaine Lynn Parker, l'apparition d'une médecine bon marché et de qualité. "Mais comme le concept de maladie se fonde sur une notion politique fluctuante, explique-t-elle, il est possible de créer la demande en élargissant la définition des maladies[1]." Le pillage du système de santé, que l'on peut observer aujourd'hui, en est la conséquence.

Or, si les bien portants contestent le financement offert aux malades réels, c'est tout le système de l'assurance maladie solidaire qui s'effondre. La prescription d'hormones à des femmes qui ne sont déclarées malades que parce qu'elles sont ménopausées coûte chaque année quelque 500 millions d'euros aux caisses de maladie. Autre poste coûteux : les statines, ces pilules miracle qui semblent réduire de manière générale le risque de maladies cardio-vasculaires. La Société européenne de cardiologie se bat pour que ces produits continuent d'être prescrits. Mais si l'on suivait à la lettre leur programme de prévention, les dépenses générées par les statines nécessaires seraient, au prix actuel du marché, équivalentes à deux tiers du budget pharmacologique de l'Allemagne (32,4 milliards d'euros en l'an 2000)[2]. La logique de notre système de santé repose toutefois sur le fait que les 20 % de malades bénéficient des moyens financiers disponibles – et non les quelque 80 % de "malades bien portants". Les sommes gaspillées dans des traitements superfétatoires seraient bien plus utiles ailleurs : dans le traitement de maladies graves ou dans l'amélioration des conditions de travail dans les hôpitaux. La pseudo-médecine consacrée aux petits bobos des couches aisées de la population a en outre de quoi nous faire honte, si l'on réfléchit un instant au nombre de gens que l'on pourrait sauver avec cet argent dans les pays en voie de développement, grâce à des mesures d'hygiène, à l'accès à l'eau potable et à des campagnes de vaccination.

PARADOXE 2 : DES MÉDECINS DÉSABUSÉS

Etre médecin est aujourd'hui devenu beaucoup plus frustrant qu'autrefois. De nos jours, le médecin peut s'estimer heureux de voir de temps à autre dans son cabinet au moins un ou deux patients souffrant d'une maladie réelle et qu'il peut véritablement aider. Un patient sur deux se plaint en effet de maladies dont on ne peut attester l'existence. Ces bien portants inquiets, que les inventeurs de maladies ont poussés à consulter, viennent grossir la charge de travail et la frustration des médecins. Tandis que l'industrie de la santé crée une demande de soins médicaux, les médecins doivent gérer le manque, puisque leur budget, lui, n'augmente pas. Avec la médicalisation, la société se décharge en outre chez le médecin de tous les phénomènes désagréables inhérents à l'existence. Les médecins sont ainsi souvent considérés comme les maîtres d'œuvre de la médicalisation, mais ils en sont surtout les victimes.

Constantin Rössner, médecin généraliste à Bad Neuenahr, en a assez. Quand il lut dans un journal médical que le surpoids – pardon : l'adipose – allait enfin obtenir le statut de maladie, il jugea que la coupe était pleine. On ferait mieux "de tenter de redéfinir la santé et de distinguer nettement celle-ci des maladies nécessitant un traitement, écrivit-il au journal. Au lieu de cela, la médecine invente des maladies toujours nouvelles, qui ne sont pas finançables («L'adipose n'est toujours pas considérée comme une maladie chez nous» – quel dommage !), et ce, alors qu'il s'agit là de problèmes sociaux. Nous devrions nous défaire de l'idée de toute-puissance et nous exercer à la modestie, ce qui éliminerait bien des problèmes. Prenons plutôt exemple sur les Egyptiens de l'Antiquité. Pour eux, seul ce qu'ils étaient en mesure de traiter était considéré comme maladie[3]."

PARADOXE 3 : LES BIEN PORTANTS SE FONT DU MAUVAIS SANG

C'est bien là le plus grand paradoxe de la médecine moderne : plus un pays est riche et plus une société injecte d'argent dans le système de santé, plus il est probable que ses membres se sentent malades. Dans bien des cas, dépistage précoce et prévention ne permettent en aucun cas d'allonger la durée de la vie – en revanche, ils augmentent le nombre d'années difficiles. Amartya Sen, prix Nobel d'économie, a déterminé et comparé dans deux Etats indiens la façon dont les individus jugent leur état général : le riche Etat de Kerala ne compte que peu d'analphabètes et chaque habitant se rend en moyenne une fois par an chez le médecin. L'espérance de vie, de soixante-quatorze ans, est exceptionnellement élevée – or, étrangement, les habitants de Kerala jugent leur santé plutôt mauvaise.

Dans l'Etat pauvre du Bihar, les habitants atteignent rarement l'âge de soixante ans et seul un Indien sur cinq consulte un médecin – pourtant, le taux d'individus qui se sentent malades y est extrêmement faible. Apparemment, les personnes bénéficiant d'un haut niveau d'éducation ont plus tendance à se préoccuper de leurs petits maux et bobos, suppose Amartya Sen. Contrairement à ce qui se passe chez leurs contemporains aisés, les populations d'Etats plus pauvres ne voient pas leur relatif bien-être assombri par "la conscience qu'il existe des états que l'on peut traiter et qui se distinguent des états «naturels» de l'existence[4]".

Dans un monde où la vérité relève de la perception, on se sent donc mieux avec moins de médecine.

Par le biais de traitements superflus, beaucoup d'individus en bonne santé deviennent des patients à long terme. En Allemagne, quarante mille plaintes sont déposées chaque année pour faute professionnelle. La faute ne sera avérée que dans douze mille cas. Bien souvent, les médicaments peuvent constituer un danger. Il existe cinquante mille produits finis dans les pharmacies allemandes, et ce, alors que la liste des médicaments indispensables publiée par l'OMS ne recense que trois cent vingt-cinq principes actifs[5]. Chaque année, vingt mille personnes meurent en Allemagne à cause d'un médicament ; les effets secondaires de ces derniers sont à l'origine de 2 à 10 % des hospitalisations, ce qui engendre des coûts s'élevant à 500 millions d'euros environ. Une analyse américaine révèle encore que les effets indésirables des médicaments constituent la quatrième cause de mortalité dans les pays industrialisés surmédicalisés ; derrière les maladies cardiovasculaires, les maladies tumorales et les attaques cérébrales, mais devant les pneumonies, le diabète et les accidents[6].

On ne sait certes pas si et dans quelle mesure l'invention de maladies encourage cette dangereuse marée médicamenteuse. Mais il est plus que fréquent de voir des personnes suivre plusieurs traitements médicamenteux en même temps. "Cela paraît presque incroyable, s'exclame le *Münchner Medizinische Wochenschrift*, mais certains patients peuvent suivre en même temps divers traitements comptant jusqu'à soixante substances différentes[7]." On estime que 22 % des effets secondaires sont dus à la prise simultanée et combinée d'un trop grand nombre de médicaments.

PLUS QU'EN BONNE SANTÉ

Avec la médicalisation de notre existence, un nombre croissant d'individus ne sont plus satisfaits de leur corps – ce qui donne lieu à l'apparition d'une médecine cosmétique : celle-ci ne vient pas en aide aux malades, mais améliore l'état des bien portants. Certains managers américains exigent par exemple déjà de subir une opération chirurgicale, le by-pass, à titre prophylactique. En neurotechnologie (ensemble des techniques qui ont une action sur le cerveau), un grand nombre de substances susceptibles d'optimiser nos capacités émergent. Le psychotrope Prozac et ses nombreux successeurs, consommés comme des pilules du bonheur par des individus en bonne santé, ne sont qu'un début. Les laboratoires pharmaceutiques passent au peigne fin le psychisme de l'être humain, à la recherche d'états perfectibles. Des médicaments contre la timidité, le manque de mémoire et le stress sont testés dans des études cliniques ou vont bientôt l'être.

Le cas des enfants de petite taille montre bien la tendance à prescrire à tout prix un traitement pour remédier à un état normal. Parents et pédiatres sont presque forcés d'administrer des hormones de croissance à ces enfants, sous prétexte que ces derniers seraient désavantagés socialement et psychiquement, ce qui n'a pas été scientifiquement prouvé[8].

Le traitement médical de comportements normaux s'illustre également dans les recherches menées sur la "gêne cognitive légère". Cette notion désigne la distraction susceptible de s'installer naturellement avec l'âge. Des entreprises telles que Cortex Pharmaceuticals, en Californie, ou Targacept, en Caroline-du-Nord, sont actuellement à la recherche d'une molécule qui agirait sur les processus chimiques du cerveau et permettrait ainsi de conserver une mémoire jeune[9].

Quant à un remède qui rendrait intelligent, il a sans doute déjà été découvert par des scientifiques de l'université de Stanford. Ceux-ci administrèrent pendant trente jours de l'Aricept, un produit uniquement prescrit aux patients atteints d'alzheimer, à des pilotes de ligne en bonne santé. Le remède anti-démence a la propriété de modifier la chimie cérébrale en bloquant une enzyme, l'acétylcholinestérase. Cet effet put également être mis en évidence chez les pilotes : après prise du produit, leurs résultats aux tests sur simulateur de vol étaient nettement meilleurs qu'auparavant. Comparés à neuf pilotes qui n'avaient pas ingéré de médicaments, les pilotes dopés étaient également bien meilleurs. Les champions d'échecs et les prix Nobel de demain amélioreront-ils ainsi leurs capacités cérébrales à l'aide de tels *"cogniceuticals"* ?

La réponse sera sans doute oui. Car dès à présent, les individus qui ne sont pas satisfaits de leur état normal et souhaitent le perfectionner grâce à des opérations et des médicaments sont légion. Même si les anomalies corporelles relèvent de leur seule perception, elles n'en sont pas moins réelles pour les personnes concernées. Les prétendues tares se concentrent principalement sur le visage, ainsi que sur la poitrine et les organes génitaux. Les médecins parlent alors d'une "maladie de la honte".

Ruthild Linse, médecin-chef de la clinique de dermatologie du Helios Klinikum, à Erfurt, déclare : "La vieillesse, l'obésité, une musculature défaillante ou une mauvaise pilosité peuvent ainsi engendrer des sentiments de honte plus forts que le fait d'être nu." Elle a pu observer lors de ses consultations une "augmentation brutale du nombre de patients atteints de troubles de la difformité corporelle", ce qu'elle attribue aux stratégies marketing des entreprises du médicament et des produits de beauté : "La présence accrue de la cosmétologie dermatologique dans les médias (magazines d'art de vivre, télévisions privées et Internet), de même que l'autorisation de médicaments de confort soumis à des phénomènes de mode (pousse des cheveux, impuissance, perte de poids), ont entraîné une augmentation rapide et continue des patients à problématique cosmétologique, ainsi qu'une croissance de la demande de traitement", écrivent Ruthild Linse et deux de ses confrères dans le *Deutsches Ärzteblatt*. Une part élevée – jusqu'à 23 % – des personnes venues leur demander conseil souffrait en réalité de troubles psychiques avérés.

DU GOÛT DE VIVRE A L'ANGOISSE DE VIVRE

Gagnés par le virus de la beauté, les êtres humains exigent des médicaments de confort ou se prennent au piège de la chirurgie esthétique, ce qui ne résout cependant pas leur problème. Ces gens-là se font refaire à prix d'or le nez, les oreilles, les seins ou les hanches – et ne sont pas satisfaits de leur nouveau corps. Le tout dernier cri des drogués de beauté est la toxine botulique qui agit momentanément sur les cellules nerveuses de l'être humain. Elle permet ainsi de faire disparaître par injection les rides du visage et de réduire la transpiration – pour un temps. Certains individus, qui transpirent normalement, exigent eux aussi un traitement à la toxine botulique. Des dermatologues d'Erfurt ont ainsi développé un nouveau tableau clinique, qu'ils prétendent avoir observé chez un sur cinq de leurs patients : la "botulophilie[10]".

Ce trouble de la difformité corporelle est, avec d'autres troubles similaires, considéré comme une sous-classe de l'hypocondrie. Selon des estimations globales, 1 à 3 % des Allemands souffriraient de cette angoisse pathologique de la maladie. Le fait que cette affection pourrait être élargie pour englober une variante moins grave n'a rien de très original. Les psychologues Gaby Bleichhardt et Wolfgang Hiler, de l'université de Mayence, ont examiné grâce à un questionnaire l'état de deux mille Allemands et pensent avoir fait une découverte : d'après eux, 7 % de la population souffre d'une "angoisse marquée de la maladie". Il y a fort à penser que la médicalisation galopante de notre vie accentue et augmente les inquiétudes pour les transformer finalement en syndromes nécessitant d'être traités – le goût de vivre se métamorphose en angoisse de vivre.

En Angleterre, cette obsession de la santé porte déjà un nom : *healthism*. Pour reprendre les mots du médecin anglais James Le Fanu, il s'agit ici d'"une angoisse générée par la médecine et qui a pour objet des dangers moindres ou inexistants. Affirmer l'existence de ces derniers aurait été par le passé considéré – à raison – comme du charlatanisme[11]."

Le phénomène du *healthism* a pour conséquence que l'on recherche la cause et la solution de tous les problèmes chez l'individu lui-même. En élevant la santé au rang d'idéal, de métaphore globale exprimant les aspects positifs de la vie, le *healthism* accentue la tendance selon laquelle la conquête du bien le plus précieux de l'être humain, sa santé, est une affaire personnelle. En d'autres termes : s'il y a des problèmes et des maladies, la faute en incombe à l'individu – tandis que la sphère politique et la société se dégagent de leurs responsabilités.

La prétendue épidémie d'enfants hyperactifs est un bon exemple de ce phénomène : si l'on considère qu'un million d'écoliers – ou même cent mille seulement – sont réellement déconcentrés au point qu'un trouble du comportement soit avéré, il est difficile d'imaginer que la cause de ce phénomène de masse ne se trouve que chez les enfants eux-mêmes. Et il est complètement inacceptable de rendre obéissants ces enfants grâce à des psychotropes, au lieu de rechercher les causes de leur comportement dans leur environnement et d'envisager des modifications : chez eux et, dans une moindre mesure, dans les crèches et les écoles primaires. Dans le cas des nombreux patients chez qui le médecin n'a pu identifier aucune maladie, il convient également de s'interroger : sont-ils réellement à l'origine de leur propre mal-être ? La résistance de l'individu au stress est-elle trop faible – ou le stress de notre environnement est-il tout simplement devenu trop important pour beaucoup d'entre nous ?

Nous savons bien que l'environnement marque l'état général de l'individu. "Bourse plate et le cœur malade", ainsi se décrivait Goethe. Aujourd'hui encore, on ne peut dissocier ces deux aspects : en Allemagne, la chance d'être en bonne santé diminue en même temps que les revenus. "Comparé à un dirigeant d'entreprise, le simple ouvrier a trois fois plus de risques d'être victime d'un infarctus", déclare Johannes Siegrist, sociologue de la médecine à l'université de Düsseldorf. L'étude allemande de prévention des maladies cardiovasculaires, qui portait sur dix mille individus, a révélé que ces maladies affectaient deux fois plus souvent le cinquième le moins aisé de la population que le cinquième le plus aisé. Les scientifiques parlent d'un "gradient social" qui divise notre société en une couche supérieure en bonne santé et une couche moyenne et inférieure morbide. Il a également été mis en évidence pour l'asthme, le diabète, l'adiposité, les dépressions et les altérations des disques intervertébraux[12].

Pour Johannes Siegrist, des modes de vie néfastes pour la santé n'expliquent qu'à 50 % l'inégalité des couches sociales devant les maladies cardiovasculaires. En comparant entre eux les groupes à risque, de nombreuses études auraient prouvé l'existence d'autres facteurs. Elles ont par exemple mis en évidence qu'un fumeur riche vit plus longtemps qu'un fumeur pauvre.

A quoi sont donc dus les 50 % restants du gradient social ? Pourquoi les individus des couches sociales inférieures sont-ils plus souvent touchés par l'hypertension, l'infarctus, l'attaque cérébrale, l'angine de poitrine, quand les conditions de vie sont aussi saines ou malsaines, quand l'accès aux soins est pratiquement le même pour tous et quand les facteurs génétiques ne jouent aucun rôle ?

Le gradient social est apparemment lié à des processus biochimiques, telle la répartition des hormones du stress. Grâce à une série d'études, les chercheurs pensent avoir démontré que le corps réagit à la nécessité financière et à l'inquiétude sociale en fournissant des réponses biochimiques. L'une des études les plus sérieuses a été menée en Suède. Au moment où ils ont perdu leur travail, des ouvriers se sont mis à produire plus de facteurs de croissance, plus de cholestérol, plus de fibrinogène et plus d'hormones de stress – des modifications physiologiques qui favorisent le rétrécissement des vaisseaux sanguins.

D'après Johannes Siegrist, le chômage et la pauvreté ne sont pas seuls responsables des modifications biochimiques, mais également "le rapport entre l'effort et la récompense. Quiconque travaille dur pendant des années sans espoir de promotion professionnelle semble ainsi menacé." Selon lui, les enseignements qui priment en médecine se limitent trop souvent aux classiques facteurs de risque. Le sociologue conseille : "Pour prévenir les maladies, il faut aussi comprendre leur dimension sociale[13]."

Mais cette idée, justement, n'a pas sa place au sein du concept des inventeurs de maladies. C'est même plutôt l'inverse : l'individu est de plus en plus souvent rendu responsable de son état de santé. Les personnes touchées sont alors stigmatisées, comme on a pu le voir dans le cas des enfants hyperactifs. Le comportement de ces derniers n'est plus accepté, parce qu'il dérange et dévie apparemment de la norme. Nous sommes de moins en moins prêts à accepter des comportements différents : le nombre de diagnostics psychiatriques augmente et le nombre de comportements inhabituels que la société accepte diminue – triste époque pour les originaux et les excentriques.

La stigmatisation due à la maladie connaîtra dans un avenir proche une augmentation plus forte encore : de par l'accroissement des connaissances génétiques. Chaque être humain porte vraisemblablement deux à cinq mutations pour une maladie héréditaire récessive (qui ne se déclenche que si le gène maternel et le gène paternel ont muté). Un grand nombre de gènes seront bientôt mis au jour, qui déclenchent ou favorisent des maladies à long terme ; parmi eux se trouveront peut-être des "gènes pathologiques", responsables d'un comportement jugé indésirable par la société. Pour les éthiciens Jacinta Kerin et Julian Savulescu, notre image de la maladie en sera radicalement modifiée. "En ce sens, la génétique rendra possible une conception selon laquelle nous sommes quelque part tous «malades»[14]."

La conséquence la plus grave de l'invention de maladies est peut-être de nourrir une idée fausse en nous faisant croire que la santé est un bien que l'on peut acheter. Les processus et les difficultés de notre existence, tels que la naissance, la sexualité, le vieillissement, la frustration, la fatigue, la solitude ou la laideur sont de plus en plus médicalisés. Pourtant, la médecine n'est pas en mesure de résoudre ces problèmes. Elle détruit seulement la capacité des êtres humains à reconnaître la douleur, la maladie et même la mort.

"La vie est dure à l'hôpital, écrivait le poète et médecin Gottfried Benn. On y meurt sans couronne de laurier." Aujourd'hui, un Allemand sur deux décède à l'hôpital, le plus souvent de ce que l'on appelait autrefois la "belle mort". Toutes sirènes hurlantes, on "amène là des vieillards mourants. C'est monstrueux", déclare Johannes Bolte, médecin à l'hôpital général Altona, à Hambourg. La machine à diagnostics fonctionne ensuite à plein régime : les médecins prélèvent le sang et les urines du vieux patient et l'installent en toute hâte dans le cylindre d'un scanner – personne, à l'hôpital, ne peut s'attendre à une belle mort[15].

D'après le philosophe autrichien Ivan Illich, "la fragilité de l'être humain vécue en pleine conscience, son individualité et son ouverture sociale font de l'expérience de la douleur, de la maladie et de la mort une partie essentielle de son existence. La capacité à surmonter ces trois éléments de manière autonome est le fondement de sa santé. S'il devient dépendant de l'administration bureaucratique s'emparant de sa sphère intime, il renonce à son autonomie. Le miracle de la médecine est en réalité une imposture diabolique. Il réside en cela que des individus, mais aussi des populations tout entières, sont amenés à survivre à un niveau inhumainement bas de santé personnelle[16]."

Il y a vingt-cinq ans, l'analyse d'Illich passait pour révolutionnaire – aujourd'hui, des membres de l'establishment médical reconnaissent que ses prédictions se sont réalisées. Par sa démesure, la médecine menace la santé de l'être humain. "Les coûts liés à la tentative de lutter contre la mort, la souffrance et la maladie sont illimités, constate le *British Medical Journal*, et au-delà d'un certain point, chaque centime ne fait qu'aggraver le problème en détruisant plus encore la capacité de l'être à affronter la réalité[17]."

Même si les possibilités de la médecine croissent de jour en jour, il convient de les endiguer. Il est grand temps de passer à une "démédicalisation" générale. Attendre de l'industrie de la santé qu'elle s'y oblige spontanément serait bien naïf. Le secteur ne montre pas le moindre discernement, bien au contraire. "A l'heure actuelle, le marché pharmaceutique se préoccupe moins des besoins médicaux que des conditions de croissance de l'industrie, critique David Gilbert, chercheur à Londres. Les objectifs de notre politique de santé risquent d'être soumis aux objectifs de l'industrie pharmaceutique[18]." Il n'y a pas non plus lieu d'attendre la moindre amélioration du côté des successeurs du Dr Knock. Protégés par la liberté de traitement, les médecins inventent à l'envi de nouvelles maladies et continueront de le faire.

Et pourtant, il existe des traitements pour lutter contre le syndrome de l'invention de maladies. Voici cinq propositions :

1. Au Royaume-Uni, le Nuffield Council on Bioethics recommande la création d'une autorité propre ayant pour tâche de surveiller et de contrôler la "médicalisation intentionnelle de la population

normale[19]". Une instance indépendante de contrôle, financée par l'argent public, fait également défaut en Allemagne. L'institut, qui compterait aussi des non-médecins, devrait démasquer les maladies inventées, les rayer du catalogue des maladies prises en charge et publier, de préférence sur Internet, des dossiers mettant à la portée de tous des renseignements sur les tableaux cliniques, les syndromes et les troubles. De cette façon, les médecins, les journalistes, mais aussi et surtout les citoyens auraient accès à des informations indépendantes.

2. Les informations relatives aux maladies et aux traitements se fondent fréquemment sur des études partiales et peu concluantes ; elles ne concernent généralement que peu de patients, se déroulent sur des périodes réduites et subissent l'influence de l'industrie pharmaceutique. Il est faux de penser que les entreprises sont dans l'incapacité de produire des données relatives aux effets secondaires d'un médicament et à son utilisation sur le long terme. La vérité est qu'elles font l'économie d'études plus précises et préfèrent dépenser cet argent dans des actions de marketing. Pourquoi alors ne pas financer de telles études grâce à un pôle de recherche que l'industrie serait forcée d'alimenter ?

3. Les médecins devraient pouvoir suivre des formations organisées sans le concours de l'industrie. Peter Schönhöfer, professeur en pharmacologie clinique et coéditeur du subversif *Arznei-telegramm*, en appelle à l'esprit critique de ses confrères : "Les médecins sont bien trop crédules face à la publicité que l'industrie pharmaceutique fait pour ses nouveaux produits, opérant une véritable désinformation. Selon moi, il faut réformer d'urgence les études

de médecine en enseignant aux étudiants les moyens fondamentaux de se défendre contre ces tentatives de désinformation[20]."

4. Les liens et rapports de dépendance qui unissent laboratoires pharmaceutiques et médecins sont devenus si étroits et complexes qu'ils remettent en question le prestige et l'indépendance de la médecine. Pour cette raison, il est temps de réglementer ces liens selon un principe de transparence. Le corps médical lui-même s'insurge contre cette promiscuité avec l'industrie. Arne Schäffler, médecin à Kiefersfelden, en Bavière, déclare : "Ce que nous, médecins, avons le plus à redouter, serait de voir se réaliser le cliché d'un métier corruptible et malhonnête. Et celui-ci se répand déjà par endroits[21]." Le médecin a lui-même occupé un poste à responsabilités au département marketing d'un laboratoire pharmaceutique et connaît les tentatives de manipulations de ce secteur. Il exige la création d'une déontologie, d'un code de conduite que les médecins pourraient s'imposer par l'intermédiaire de leur organe de gestion directe : celui-ci devrait énumérer et justifier quels sont les liens et les accords financiers autorisés entre les médecins et l'industrie, et quels sont ceux qui ne le sont pas. Les liens financiers existant entre les entreprises et les médecins devraient de manière générale être rendus publics – dans les directives médicales, les articles scientifiques, les comptes rendus et les communiqués de presse.

5. Une médecine juste a ses limites et se garde bien de faire de chaque domaine de la vie, de chaque phase de la vie, l'objet d'interventions médicales. Pour lutter contre les traitements prescrits à tout-va à des individus en bonne santé, des médecins

critiques proposent le remède suivant : ils exigent une médecine soumise au rigoureux contrôle scientifique, que l'on appelle "la médecine d'évidence". Si le médecin traitant, par exemple, applique des mesures préventives à un individu en bonne santé, il doit pouvoir apporter la preuve concluante d'un point de vue scientifique que ces mesures ont une utilité. Heiner Raspe, de l'Institut de médecine sociale de Lübeck, considère que, pour rendre sa crédibilité à la médecine, la pratique d'une médecine d'évidence s'impose. "Le contrat entre la société et la médecine a besoin d'un nouveau fondement[22]." Chaque médecin pourrait ainsi aisément s'employer à reconstruire la confiance entre le clinicien et le patient. Pour cela, il doit avoir en mémoire l'une des principales qualités du médecin, qui est de laisser en paix les bien portants.

AVANT L'INQUIÉTUDE, LE PLAISIR

Il ne s'agit pas de minimiser de véritables maladies. Celui qui est malade va chez le médecin – c'est évident. Les autres, en revanche, devraient résister à la tentation de se faire embobiner par les inventeurs de maladies. Le thérapeute Bernhard Hirschel notait déjà en 1840 : "Les gens ont largement tendance à se soigner eux-mêmes ou à recourir aux services de ceux qui prétendent pouvoir remédier à toutes les maladies grâce à des produits universels[23]."

Aujourd'hui, beaucoup de gens âgés, mais aussi de plus en plus souvent les jeunes, se laissent prendre presque volontairement dans les filets du complexe médico-industriel en pleine expansion. Les consultations chez le médecin permettent de combattre l'ennui et la solitude. D'après le médecin Bernard Lown, avoir des liens avec l'industrie de la santé représente une sorte de socialisation. Ces liens offrent aux individus la "satisfaction d'avoir quelqu'un qui écoute avec attention les problèmes exposés[24]". Ce sont tout particulièrement les gens cultivés qui font fi de toute raison dès lors qu'il s'agit de leur santé et qui sont donc particulièrement réceptifs aux ordonnances des inventeurs de maladies. Pour lutter contre ce phénomène, une bonne dose de sang-froid est nécessaire. Et l'on peut se réjouir de ce que certains médecins prescrivent justement cela. Petr Skrabanek et James McCormick écrivent ainsi : "La vie elle-même est une maladie transmise sexuellement et mortelle à cent pour cent ; elle doit être croquée à pleines dents et nécessite un équilibre raisonnable entre les risques supportables et les risques insupportables. Cet équilibre étant une question d'appréciation, il reste peu de place pour quelque dogmatisme que ce soit. La manière dont l'on s'occupe aujourd'hui couramment de notre santé est tout à fait malsaine, car les médias attirent sans cesse notre attention sur des dangers potentiels. Beaucoup de ces dangers sont extrêmement rares, et le risque personnel que nous avons d'en être victimes est en conséquence restreint ; dans ces conditions, ils doivent être ignorés[25]."

IMAGINEZ QUE VOUS ÊTES EN BONNE SANTÉ
– ET QUE VOUS NE LE SAVEZ PAS

Un peu moins de crédulité vis-à-vis du corps médical et un peu plus d'esprit critique sont les moyens de maîtriser sa propre santé. Les diagnostics et les maladies ne sont pas des lois de la nature, ils reposent sur des décisions prises par le parti intéressé. Celui qui se soumet à un examen préventif et pour qui un diagnostic a été établi doit garder cela en mémoire et ne pas craindre de poser des questions au médecin : qui a réellement décidé que l'état diagnostiqué constituait une maladie ? Quels éléments de la science médicale prouvent que cet état aura pour moi des conséquences néfastes ? Dans quelle mesure des mesures médicales peuvent-elles l'améliorer ? Si cent personnes sont traitées, à combien d'entre elles profite le traitement ? Quelles sont les preuves scientifiques en faveur du traitement proposé ?

Internet affaiblit le pouvoir des médecins et enrichit le savoir des patients. Des personnes atteintes du cancer, par exemple, utilisent depuis longtemps ce moyen de communication pour s'informer sur leur maladie et les traitements les plus efficaces. Elles échangent des renseignements importants, se soutiennent les unes les autres par e-mails et confrontent leur médecin aux éléments trouvés sur Internet. Tout comme les malades qui veulent guérir, les bien portants qui ne veulent pas être considérés comme malades peuvent trouver de précieux renseignements sur Internet.

Forts de leurs connaissances sur le déroulement naturel des états et des phases de la vie, les êtres humains pourront mieux juger des nouvelles consignes et affirmations de la médecine. Bien des informations sont toutefois encore difficiles à trouver. Il serait donc souhaitable que l'Etat encourage et soutienne par exemple des organismes de protection des consommateurs, afin que ceux-ci fournissent de manière ciblée des informations sur les maladies et la médicalisation de la vie.

Les êtres humains ont d'ores et déjà la possibilité de prendre eux-mêmes les décisions relatives à leur santé et devraient l'utiliser plus souvent. Ils ont le choix : soit ils acceptent qu'on les convoque, qu'on les hospitalise, qu'on les incise, qu'on les pique, qu'on les traite aux rayons, qu'on les aspire, qu'on les seringue, qu'on les radiographie, qu'on les mesure, qu'on les saigne, qu'on les pèse, qu'on les enduise d'huile, qu'on les examine, qu'on les réprimande, qu'on conjure leur maladie, qu'on les soumette à des tests génétiques, qu'on les gave de cachets, qu'on les mette au régime et – comme chez le Dr Knock – qu'on prenne leur température.

Ou alors ils jouent un tour aux inventeurs de maladies. Ils peuvent se soustraire à eux. Car n'est finalement malade que celui à qui est délivré un certificat de maladie.

DOUZE QUESTIONS POUR IDENTIFIER
LES MALADIES INVENTÉES
ET LES TRAITEMENTS INCERTAINS

1. Existe-t-il un nom pour l'affection dont je souffre ?

2. Existe-t-il des directives internationales qui décrivent le diagnostic et le traitement de cette affection et où puis-je les trouver ?

3. Existe-t-il un test permettant d'identifier facilement mon affection ?

4. Chez combien d'individus bien portants ce test fournit-il un résultat positif (pathologique) ? (Quelle est la part des résultats faussement positifs ?)

5. Chez combien d'individus testés une première fois comme étant positifs le même test répété une seconde fois fournit-il un résultat normal ?

6. Chez combien d'individus atteints de cette affection ce test fournit-il un résultat négatif (normal) ? (Quelle est la part des résultats faussement négatifs ?)

7. Quelles sont pour moi les conséquences (les complications) de cette affection dans un an, deux ans, dix ans ? (Sur cent personnes atteintes de la même affection que moi, chez combien d'entre elles ces conséquences surviennent-elles au bout d'un an, de deux ans, de dix ans ?)

8. Sur cent personnes qui *ne sont pas* atteintes de cette affection, chez combien d'entre elles ces complications surviennent-elles au bout d'un an, de deux ans, de dix ans ?

9. Existe-t-il un traitement efficace contre cette affection ?

10. Sur cent personnes atteintes de la même affection que moi et qui *suivent* ce traitement, chez combien d'entre elles les complications évoquées surviennent-elles au bout d'un an, de deux ans, de dix ans ?

11. Sur cent personnes atteintes de la même affection que moi et qui *ne suivent pas* ce traitement, chez combien d'entre elles les complications évoquées surviennent-elles au bout d'un an, de deux ans, de dix ans ?

12. Sur cent personnes atteintes de la même affection que moi, chez combien d'entre elles des complications liées au traitement surviennent-elles, qui ne seraient pas survenues sans traitement ?

Source : professeur Peter Sawicki, de l'institut DIeM pour une médecine d'évidence, à Cologne.

SIX MILLIARDS DE MALADES
QUI S'IGNORENT

par Martin Winckler

Lorsque j'ai commencé à exercer la médecine, au début des années 1980, j'ai fait la connaissance de deux "maladies" très répandues en France mais qui ne figuraient dans aucun traité de pathologie : la crise de foie et la spasmophilie.

Toutes deux frappaient essentiellement (mais pas exclusivement) des femmes. Les patientes qui se présentaient comme "souffrant du foie" ou "spasmophiles" étaient légion devant le jeune médecin que j'étais, et je ne comprenais pas du tout pourquoi elles désignaient ainsi des souffrances qui, à mes yeux, avaient une tout autre appellation.

Les femmes qui "souffraient du foie" me parlaient de symptômes apparaissant une ou deux fois par mois, souvent juste avant leurs règles : des nausées, des vomissements et surtout un mal de tête extrêmement violent, accentué par la lumière et par le bruit, qui ne leur donnait pas d'autre ressource que d'aller se coucher dans le noir. Celles qui se qualifiaient de "spasmophiles" me décrivaient des symptômes moins systématisés (des fourmis ou des paralysies des membres), mais se plaignaient toutes d'angoisses considérables.

Au cours de mes études, j'avais eu la chance d'être formé par des médecins curieux de tout, et dotés d'un solide bon sens. Ils m'avaient appris que la "crise de foie" était une migraine accompagnée de symptômes digestifs, et que les "spasmophiles" étaient des femmes angoissées souffrant de crises de panique. Je savais donc que ni les unes ni les autres n'étaient réellement atteintes d'une *maladie* mais réagissaient ainsi de manière particulière et personnelle aux agressions de la vie. Leurs souffrances pouvaient donc être soulagées par des méthodes thérapeutiques simples... et aussi, avant tout, par l'explication de leurs symptômes. La difficulté, cependant, ne résidait pas dans le fait de "rectifier le diagnostic" : elles accueillaient toujours mes éclaircissements avec intérêt, car on ne leur avait rien expliqué du tout en leur collant une étiquette. Elles avaient surtout plus de mal à admettre qu'elles n'avaient pas besoin d'un traitement au long cours.

Les migraineuses avaient toutes déjà subi des radiographies de la vésicule et un nombre conséquent de prises de sang ayant montré "un petit quelque chose" (de la "boue" dans la vésicule, par exemple). L'existence de ce "signe objectif" ne justifiait-il pas les "hépatotropes" et autres "cholagogues" – nom pseudo-savant dont on affublait les médicaments "pour le foie ou la bile" – qu'on leur avait recommandé de prendre trois cent soixante-cinq jours par an ?

Les "spasmophiles", qui avaient eu droit, elles aussi, à moult dosages sanguins et parfois également à des électromyogrammes totalement ininterprétables (mais rassurants, leur disaient les médecins), avaient pour leur part du mal à admettre que le magnésium qu'on leur faisait boulotter quinze jours par mois depuis des années n'avait pas plus d'effet qu'un placebo, et que leur anxiété chronique, bien réelle, pouvait s'atténuer grâce à un soutien psychothérapique adéquat et un environnement dans lequel on ne les traiterait plus comme des malades…

"Tout bien portant est un malade qui s'ignore", déclare doctement Knock dans la pièce de Jules Romains. Ce faisant, il introduit une vision de la santé entièrement définie par le médecin. Une vision faite de diktats et d'avertissements inquiétants. Une vision totalitaire, et non soignante. De manière très appropriée, l'ouvrage de Jörg Blech commence par citer Knock, personnage emblématique du monde d'aujourd'hui quand on parle de santé.

En France, on trouve dans les officines plusieurs dizaines de milliers de marques de médicaments. A l'opposé, sur la liste des médicaments essentiels, indispensables au traitement des principales affections qui frappent les habitants des pays pauvres, établie par l'OMS, on en compte… trois cent vingt-cinq. Sommes-nous mieux soignés grâce à ce plus grand nombre de médicaments ? Evidemment non.

Dans les pays riches dont il est question dans le livre de Jörg Blech, l'industrie pharmaceutique, tel un Knock transformé en Big Brother, n'a cessé depuis cinquante ans de croître, tout en donnant l'illusion qu'elle nous faisait du bien.

Or, il n'en est rien. L'industrie du médicament (et, avec elle, celle des appareillages de dosage biologique, celle des machines diagnostiques lourdes, celle des cosmétiques, celle des instruments chirurgicaux…) a fait de la devise du personnage de Jules Romains son leitmotiv, en le modifiant à peine : "Tout bien portant est un consommateur en puissance… à condition de lui faire croire qu'il est malade."

Le mot essentiel, ici, est "consommateur". J'entends souvent les politiciens fustiger les citoyens de se comporter en "consommateurs" de soins et de médicaments. Or, l'expression est hypocrite, pour ne pas dire crapuleuse. D'un côté, le citoyen d'aujourd'hui est incité à consommer des biens matériels pour maintenir la croissance industrielle. De l'autre, on lui reproche de demander des soins inutiles et de grever le budget de la Sécurité sociale. Dans cette équation, on oublie deux éléments importants, qui caractérisent les "consommateurs" d'aujourd'hui comme les patientes d'hier dont je parle plus haut : les traitements qu'on leur prescrivait ne servaient à rien et ils coûtaient cher à la Sécurité sociale. En les prenant de manière quasi rituelle, elles espéraient qu'ils préviendraient leurs symptômes. La fréquence des migraines et des crises d'angoisse variant beaucoup avec le temps et les conditions de vie, elles attribuaient au traitement leurs améliorations spontanées, et à un "relâchement du traitement" la réapparition tout aussi spontanée – et souvent inévitable – des symptômes.

Bref, elles étaient prises entre deux feux. Comme beaucoup de "consommateurs" de soins le sont aujourd'hui. Car enfin, ces traitements, qui les leur avait prescrits ? Qui leur laissait croire qu'elles en avaient absolument besoin ? Des médecins, investis de l'aura de confiance que confère leur titre. Et ces médecins, pourquoi croyaient-ils à ces diagnostics inexistants ? Parce qu'on les leur avait enseignés en faculté et qu'ils étaient depuis confortés dans ces faux diagnostics par des visiteurs pharmaceutiques leur proposant… les traitements que leurs patients attendaient.

Vingt ans plus tard, les choses vont-elles mieux ? Non, c'est pire. Certes, la "crise de foie" a disparu du langage des médecins français (et de l'enseignement), mais l'industrie a bien compris quel profit elle pouvait tirer des 15 % de la population qui souffrent de migraines : les antimigraineux tous plus coûteux les uns que les autres sont de plus en plus nombreux… sans qu'on ait expliqué aux premiers intéressés que s'ils étaient correctement utilisés, les médicaments les plus anciens, les mieux connus, les moins chers étaient aussi efficaces. Et, certes, la spasmophilie ne fait plus partie des diagnostics officiels, mais la prescription d'anxiolytiques et d'antidépresseurs est en France la plus forte de tous les pays industrialisés.

Si on pouvait autrefois espérer trouver un jour un traitement pour chaque maladie, nous explique Jörg Blech, les marchands de la santé, aujourd'hui plus que jamais, semblent plutôt vouloir *trouver une maladie pour chaque molécule fabriquée.* En manipulant des membres influents de la communauté médicale, les lobbys industriels ont peu à peu modifié les "normes" de certaines valeurs biologiques – comme le taux de cholestérol et la tension artérielle – afin d'augmenter le nombre de patients "susceptibles d'être traités". Pour eux, faire croire à des gens en bonne santé qu'ils doivent se soigner à vie est une véritable rente viagère. Et pour propager une pareille absurdité, ils nous suggèrent que si nous ne "nous soignons pas" par anticipation, nous mourrons de cancer, nous serons diminués par des maladies cardiovasculaires ou nous perdrons la tête en raison d'une dégénérescence neurologique... Le principal argument de vente des marchands de la santé, c'est la peur.

En vingt ans, ce terrorisme pharmacologique et moral a pris beaucoup d'ampleur. Alors qu'il s'était longtemps concentré sur la profession médicale (nombre d'exemples de ce livre démontrent la crédulité des médecins et, il faut bien le reconnaître, la fâcheuse tendance de certains "experts" médicaux à se laisser acheter...), il concerne aujourd'hui de plus en plus le grand public, *via* des spots télévisés ou radiophoniques dénaturant la notion de la prévention, des articles dans les magazines se faisant passer pour de l'information, quand ce ne sont pas des manifestations "en faveur du Tiers Monde".

Il faut ainsi faire preuve d'une grande ignorance – ou d'un immense cynisme – pour affirmer, comme le fit en septembre 2004 un médecin homéopathe[1], que les traitements homéopathiques sont couramment utilisés en Afrique pour lutter contre les crises de paludisme... Quand on sait que cette déclaration était faite pour attirer le public à un concert au Zénith fêtant les vingt ans de l'association

1. Interview du Dr Jean-François Masson, "responsable" d'Homéopathie sans frontières – propos recueillis par Corinne Thébault dans *Le Parisien*, lundi 18 octobre 2004.

Homéopathie sans frontières, on reste pantois. Il y a trois à cinq cents millions de nouveaux cas de paludisme chaque année dans le monde et, en Afrique seulement, la maladie tue un million de personnes par an, dont 70 % sont des enfants de moins de cinq ans. Si les médicaments homéopathiques (réputés pour leur faible coût, sinon pour leur efficacité) ont le moindre effet sur les crises de paludisme, on se demande pourquoi ils ne sont pas prescrits en masse aux touristes qui partent en safari…

Le marché de l'homéopathie (dont la France est le principal pays consommateur, avec les psychotropes…) n'est cependant qu'une goutte d'eau comparé à l'océan des anti-inflammatoires, des traitements de la dépression et des troubles de l'attention (avec hyperactivité), des hypocholestérolémiants et des comprimés bleus (ou en amande) destinés à lutter contre l'andropause (qui, comme chacun sait, mine inexorablement tous les hommes de plus de… dix-huit ans) et à redonner aux hommes leurs érections (et leurs illusions) perdues.

Rien de ce que décrit Jörg Blech n'est spécifique à un seul pays. Tous les laboratoires cités ont pignon sur rue en France et y commercialisent leurs médicaments. Mais, alors qu'ailleurs la profession médicale vise à établir depuis longtemps des barrières très strictes entre les praticiens et l'industrie, la France n'a jamais établi pareils garde-fous. L'industrie consacre 20 000 euros par an et par médecin à la promotion de ses produits – la somme annuelle consacrée à la formation indépendante de chaque médecin s'élève, elle, à 500 euros…

Et le manque d'indépendance ne concerne pas seulement les médecins : Louis-Charles Viossat, directeur *corporate affairs* du laboratoire Lilly France[1] depuis septembre 2001, fut, à partir de mai 2002, directeur du cabinet de Jean-François Mattéi au ministère de la Santé, avant de devenir, en avril 2004… directeur de l'Agence centrale des organismes de sécurité sociale (Acoss). On est en droit de s'interroger sur les effets de ce profil de carrière dans l'organigramme du système de santé national. On est encore plus estomaqué lorsque Philippe Douste-Blazy, cardiologue de formation devenu ministre de la Santé, semble encore ignorer, fin 2004[2], ce que nombre de revues scientifiques disaient déjà en 2000 au sujet des dangers du Vioxx. Cet anti-inflammatoire vanté pour son innocuité et vendu en quantités impressionnantes a été récemment retiré du marché parce qu'il provoquait des accidents cardiaques graves[3].

La principale arme de ceux qui nous manipulent est de nous laisser croire que nous ne pouvons rien

---

1. Rappelons que le laboratoire Lilly finança la campagne menée par George W. Bush pour sa première élection...
2. "Je dis simplement que là, dans le cas particulier [du Vioxx], aucun expert au monde n'a trouvé qu'il y avait un effet négatif", déclarait-il sans sourciller au Grand Jury RTL-*Le Monde* en décembre 2004, juste avant de partir au Sri Lanka soutenir les victimes du tsunami...
3. Entre 88 000 et 140 000 décès, d'après une étude publiée par la très sérieuse revue médicale britannique *The Lancet* en novembre 2004. Mais le ministre de la Santé n'a probablement pas le temps de lire les revues médicales de pointe.

faire contre eux, et de nous tenir dans l'ignorance. Il est courant que les industriels du médicament empêchent la publication d'études ou de rapports scientifiques susceptibles de remettre en cause l'intérêt de leurs produits. Cela aussi, Jörg Blech en donne plusieurs exemples authentifiés. Très logiquement, son livre vient donc ajouter sa pierre aux autres ouvrages de contre-propagande qui, depuis quelques années, visent à éveiller la conscience du public[1]. En nous décrivant ce qui se passe en Angleterre, en Allemagne et aux Etats-Unis, il nous fait prendre conscience de l'omniprésence de l'industrie pharmaceutique dans le monde et de son emprise sur les habitants de pays riches comme le nôtre. Il nous montre aussi l'indécence dont fait preuve une industrie incitant à consommer des médicaments destinés à "traiter" des non-maladies, au premier rang desquelles... le vieillissement. Quand on sait que l'espérance de vie d'un Européen de l'Ouest est près du double de celle d'un Africain de l'Ouest – et qu'elle ne cesse de s'allonger –, il y a de quoi relativiser ses angoisses.

La vie est sexuellement transmissible et irrémédiablement mortelle. Nous le savons, nous préférerions l'oublier et croire que l'échéance peut être repoussée par de la poudre de perlimpinpin ou des hypocholestérolémiants. C'est sur cette angoisse profonde et sur l'ignorance du grand public que les inventeurs de maladies s'appuient pour construire leurs lucratives illusions. Véritables *dealers* (le mot

---

1. Citons, entre autres, *Le Grand Secret de l'industrie pharmaceutique*, de Philippe Pignarre, La Découverte, 2002, et *Patients si vous saviez...* de Christian Lehman, Laffont, 2003.

drug, en anglais, et l'ancien mot *drogue*, en français, signifient "médicament"), les firmes multinationales, puissants Knocks des temps modernes, ne rêvent au fond que d'une chose : faire de tous les habitants de la planète des malades potentiels, dépendant de leurs produits pour tromper leur angoisse de vivre.

Quelle que soit la substance qu'on nous servira, la réalité n'en restera pas moins incontournable : nous vieillissons chaque jour et, un jour ou l'autre, notre vie prendra fin. Grâce à ce livre salutaire truffé d'informations éclairantes, Jörg Blech nous rappelle au bon sens : la vie est trop courte pour être vécue en se *croyant* malade – ou, pire, pour succomber prématurément... à un traitement inutile.

MARTIN WINCKLER[1],
mars 2005.

---

1. Né à Alger en 1955, médecin de formation, Martin Winckler est l'auteur de plusieurs romans (*La Maladie de Sachs*, 1998 ; *Les Trois Médecins*, 2004) et essais (*Nous sommes tous des patients*, 2002) consacrés au monde médical. Préoccupé depuis toujours par les pressions troubles qui s'exercent sur le corps médical et celui des patients, il a été, entre 1983 et 1989, membre de la rédaction de la revue *Prescrire*, publication indépendante consacrée au médicament, et il a assuré sur France-Inter, en 2002-2003, une chronique scientifique où, entre autres sujets, il décrivait les dérapages de l'industrie pharmaceutique.

NOTES

I. SOIGNER A TOUT PRIX

1. Jules Romains, *Knock ou le Triomphe de la médecine*, Gallimard, 1924.
2. *Der Spiegel*, n° 47/2002.
3. Moynihan, R., et Smith, R., "Too Much Medicine ?", *British Medical Journal* 324, 2002, p. 859-860.
4. Burgmer, M., "Das «Sisi»-Syndrom – eine neue Depression ?", *Der Nervenarzt* 74, 2003, p. 444 ; www.wedopress.de, accès le 25 mai 2003.
5. *Herald Tribune*, 4 janvier 2003.
6. *Ärzte Zeitung*, 8 avril 2002.
7. *Ibid.*, 16 décembre 2002.
8. Streek, U., "Die generalisierte Heiterkeitsstörung", *Forum der Psychoanalyse* 16, 2000, p. 116-122. L'article était pensé comme une satire, ce qui échappa à nombre de lecteurs.
9. Moynihan, R., "Drug Firms Hype Disease As Sales Ploy, Industry Chief Claims", *British Medical Journal* 324, 2002, p. 867.
10. Füessl, H. S., "Neue Krankheiten braucht das Land !", *MMW-Fortschritte Medizin* 25, 2002, p. 20.
11. *International Herald Tribune*, 4 janvier 2003.

12. Moynihan, R., et Smith, R., "Too Much Medicine ?", *op. cit.*

13. Moynihan, R., "Selling Sickness : the Pharmaceutical Industry and Disease Mongering", *British Medical Journal* 324, 2002, p. 886-891.

14. Dörner, K., "In der Fortschritthalle", *Deutsches Ärzteblatt* 38, 2002, p. A-2462.

15. www.der-gesunde-mann.de, accès le 22 avril 2003.

16. D'après le *Süddeutsche Zeitung*, 14 janvier 2003.

17. Füessl, H., "Sagen Sie nicht «Ihnen fehlt nichts»", www.mmw. de/wort/index_art.cfm ?tree=2&id=1221, accès le 5 avril 2003.

18. Moynihan, R., "Selling Sickness…", *op. cit.*

19. Toutes les citations suivantes sont extraites de Moynihan, R., "Selling sickness…", *op. cit.*

20. Communiqué de presse de la FDA, 7 juin 2002 ("FDA Aroves Restricted Marketing of Lotronex"), www.pharmavista.ch/ indexD.htm, www.pharmavista.ch/news/PVP/0000920D.htm, accès le 5 avril 2003.

21. Cook, J., "Practical Guide to Medical Education", *Pharmaceutical Marketing* 6, 2001, p. 14-22.

22. Chiffres extraits de Freemantle, N., et Hill, S., "Medicalisation, Limits to Medicine, or Ever Enough Money to Go Around ?", *British Medical Journal* 324, 2002, p. 864-865.

23. Nuffield Council on Bioethics, *Genetics and Human Behaviour : the Ethical Context*, Londres, 2002 ; le rapport est disponible sur Internet : www.nuffieldbioethics.org.

24. D'après Gerd Antes, du centre allemand Cochrane, il existe vingt-cinq mille revues médicales dans le monde, dans lesquelles paraissent chaque année deux millions de comptes rendus de recherche.

25. *Ärzte Zeitung*, 14 mai 2003.

26. Porter, R., *Die Kunst des Heilens*, Heidelberg, 2000.

27. Mintzes, B., "Direct to Consumer Avertising is Medicalising Normal Human Experience", *British Medical Journal* 324, 2002, p. 908-911.

28. Taverna, E., "Das Dr Knock-Seminar", *Schweizerische Ärztezeitung* 83, 2002, p. 580.

1. Communiqué de presse de l'entreprise Pfizer, 19 mars 2002.

2. *Bunte* n° 27/2002, voir également : www.denkepositiv.com.

3. Ross, C., "The Informed Patient : a Step in the Right Direction", Pharmafile.com, 23 août 2002.

4. Spurgeon, D., "Doctors Accept $ 50 a Time to Listen to Drug Representatives", *British Medical Journal* 324, 2002, p. 1113.

5. Le médecin américain Bob Goodman envisage de manière critique le problème de la corruption chez les médecins : www.nofreelunch.org.

6. Reis, E. von, *et al.*, "Qualität und Struktur der ärztlichen Fortbildung in der Inneren Medizin am Beispiel des Ärztekammerbezirks Nordrhein", *Zeitschrift für ärztliche Fortbildung und Qualitätssicherung* 93, 1999, p. 569-579.

7. Choudry, N., *et al.*, "Relationships Between Authors of Clinical Practice Guidelines and the Pharmaceutical Industry", *JAMA* 287, 2002, p. 612-617.

8. Dören, M., "Fortbildung in der Sponsoring-Falle ?", *Berliner Ärzte* n° 4, 2003, p. 18-20.

9. Finzen, A., "Wir dankbaren Ärzte", *Deutsches Ärzteblatt* 99, 2002, p. A-766-A-769.

10. Coyle, S., "Physician Industrie Relations. Part 1 : Individual Physicians", *Ann. Int. Med.* 136, 2002, p. 396-402.

11. Stelfox, H., "Conflict of Interest in the Debate over Calcium-Channel Antagonists", *New England Journal of Medicine* 338, 1998, p. 101-106.

12. Kjaergard, L., "Association Between Competing Interests and Author's Conclusions : Epidemiological Study of Randomised Clinical Trials Published in the BMJ", *British Medical Journal* 325, 2000, p. 249-252.

13. Bodenheimer, T., "Uneasy Alliance", *New England Journal of Medicine* 342, 2000, p. 1539-1544.

14. *Frankfurter Allgemeine Zeitung*, 12 septembre 2001.

15. Eichenwald, K., et Kolota, G., "Drug Trials Hide Conflicts for Doctors", *New York Times*, 16 mai 1999.

16. Morin, K., *et al.*, "Managing Conflicts of Interest in the Conduct of Clinical Trials", *JAMA* 287, 2002, p. 78-84.

17. Koch, K., "Wer rasiert wird, hält besser still", *Süddeutsche Zeitung*, 15 mars 2002.

18. Moynihan, R., "The Marketing of Fear", *Australian Financial Review*, 10 juin 2000.

19. Les citations suivantes sont toutes extraites de Moynihan, R., "Celebrity selling", *British Medical Journal* 324, 2002, p. 1342.

20. Petersen, M., "CNN to Reveal when Guests Promote Drugs for Companies", *New York Times*, 24 août 2002.

21. Woloshin, S., *et al.*, "Direct-to-Consumer Advertisements for Prescription Drugs : what are Americans Being Sold ?", *The Lancet* 358, 2001, p. 1141-1146.

22. Rapporté à l'année 1999, d'après Mintzes, B., "Direct to Consumer Advertising…", *op. cit.*, p. 908-909.

23. Gammage, J., et Stark, K., "Under the Influence", *Philadelphia Inquirer*, 9 mars 2002.

24. Gottlieb, S., "A Fifth of Americans Contact their Doctor As a Result of Direct to Consumer Drug Advertising", *British Medical Journal* 325, 2002, p. 854.

25. Moynihan, R., *et al.*, "Coverage by the News Media of the Benefits and Risks of Medications", *New England Journal of Medicine* 342, 2000, p. 1645-1650.

III. LA MALADIE DU DIAGNOSTIC

1. www.osteoporose.org, accès le 22 novembre 2002.

2. Müller, K., et Müller, S., *Laborwerte verständlich gemacht*, Stuttgart, 2002.

3. Gross, R., "«Krank» – was ist das eigentlich ?", *Frankfurter Allgemeine Zeitung*, 16 juillet 1987.

4. Assmann, G., *et al.*, "Nationale Cholesterin-Initiative", *Deutsches Ärzteblatt*, cahier 17 A, 1990, p. 1358-1382.

5. D'après Heyll, U., *Risikofaktor Medizin*, Francfort-sur-le-Main, 1993.

6. *Ibid.*

7. Füessl, H., "Der Check-up macht Patienten froh", *MMW-Fortschritte Medizin*, n° 29-30/2002, p. 18.

8. Blech, J., "Bilderwut auf Krankenschein", *Die Zeit* n° 50/1996.

9. Sources : *The Orlando Sentinel*, 31 août 2002, et *Der Spiegel* n° 30/2002.

10. Exemples tirés de Skrabanek, P., et McCormick, J., *Torheiten und Trugschlüsse in der Medizin*, Mayence, 1995.

11. Heyll, U., *Risikofaktor Medizin, op. cit.*

12. Stone, J., "What Should We Say to Patients with Symptoms Unexplained by Disease ? The «Number Needed to Offend»", *British Medical Journal* 325, 2002, p. 1449-1450.

13. D'après Skrabanek, P., et McCormick, J., *Torheiten und Trugschlüsse in der Medizin, op. cit.*

14. Smith, R., "In Search of «Non-Disease»", *British Medical Journal* 324, 2002, p. 883-885.

15. Engelhardt, R., "Die Moden der Orthopäden", *Die Zeit*, 10 juin 1999.

16. Source : Bakwin, H., "Pseudodoxia Pedriatica", *New England Journal of Medicine* 232, 1945, p. 691.

17. Gilbert, D., "Lifestyle Medicines", *British Medical Journal* 321, 2000, p. 1341-1344.

IV. LA FOIRE AUX RISQUES

1. Sawicki, P., communication personnelle, avril 2003.

2. Heyll, U., *Risikofaktor Medizin, op. cit.*

3. Tanne, T., "Children Should Have Blood Pressure and Cholesterol Checked by Age of 5", *British Medical Journal* 325, 2002, p. 8.

4. D'après Payer, L., *Disease-Mongers*, New York, 1992.

5. Source : *Der Spiegel* n° 45/1990.

6. Uffe Ravnskov décrit avec Udo Pollmer les dix plus grandes erreurs de la théorie du cholestérol dans l'ouvrage *Mythos Cholesterin*, Stuttgart, 2002. D'autres informations sont disponibles sur Internet sous : www.ravnskov.nu/cholesterol.

7. Lown, B., *Die verlorene Kunst des Heilens*, Stuttgart, 2002.

8. Le Heart Protection Study Collaborative Group a publié ses conclusions dans *The Lancet* 360, p. 7-22, "MRC/BHF Heart Protection Study of Cholesterol Lowering with Simvastatin in 20 536 High-Risk Individuals : a Randomised Placebo-Controlled Trial", 2002.

9. Koch, K., "Ein Volk von Kranken", *Süddeutsche Zeitung*, 8 février 2002.

10. Par exemple par Bayer, Aventis, MerckSharpDome, Novartis, Sanofi-Synthélabo, Hoffmann-La Roche, AstraZeneca, Medisana, Omrom Medizintechnik, Bristol-Myers Squibb ou Pfizer, voir www.paritaet.org/hochdruckliga/welcome.htm.

11. Bretzel, R., "Diabetes und Insulin", *Druckpunkt*, n° 3, 2002, p. 8.

12. Little, P., "Comparison of Agreement Between Different Measures of Blood Pressure in Primary Care and Daytime Ambulatory Blood Pressure", *British Medical Journal* 325, 2002, p. 254-257.

13. Heyll, U., *Risikofaktor Medizin, op. cit.*

14. D'après Green, C., "Bone Mineral Density Testing : Does the Evidence Support its Selective Use in Well Women ?", *Vancouver, BC : British Columbia Office of Health Technology Assessment*, 1997.

15. Une définition similaire de l'ostéoporose figure par exemple dans un communiqué de l'OMS d'avril 1999 : www.who.int/archives/whday/en/documents1999/osteo.html.

16. Citation extraite de *Der Spiegel* n° 14/1998.

17. D'après *Osteoporose aktuell 2002*, une brochure de l'Association nationale d'entraide contre l'ostéoporose.

18. Gawlik, G., "Entscheidung über umstrittene Methoden", *Deutsches Ärzteblatt* 97, 2000, p. A-819.

19. Green, C., "Bone Mineral Density Testing", *op. cit.*

20. *MMW-Fortschritte Medizin* n° 5/2003.

21. La liste des facteurs de risque s'allonge de jour en jour. Celle-ci est extraite de Skrabanek, P., et McCormick, J., *Torheiten und Trugschlüsse in der Medizin, op. cit.*

22. Citations de G. S. Myers et du Dr Howard, in Skrabanek, P., et McCormick, J., *Torheiten und Trugschlüsse in der Medizin*, *op. cit.*

V. OÙ LA FOLIE DEVIENT NORMALITÉ

1. Schneider, R., "Acht flogen über das Kuckucksnest", *Neue Zürcher Zeitung*, 2 septembre 2002.
2. Rosenhan, D., "On Being Sane in Insane Places", *Science* 179, 1973, p. 250-258.
3. Communiqué de presse de la Société allemande de psychiatrie, de psychologie et de neurologie, septembre 2002.
4. Healy, D., *The Creation of Psychopharmacology*, Cambridge et Londres, 2002.
5. Finzen, A., et Hoffmann-Richter, U., "Schöne neue Diagnosenwelt", *Soziale Psychiatrie*, 1/2002.
6. Brown, J., "The Next Wave of Psychotherapeutic Drugs : a New Generation of Drugs are in Development to Tackle a Wide Range of Mental Illnesses", *Med Ad News* 21, 2002, p. 38.
7. Huxley, A., *Le Meilleur des mondes*, Pocket, 2002.
8. Source : communiqué de presse de la Société allemande de psychiatrie, de psychothérapie et de neurologie, juin 2001.
9. Cottle, M., "Diagnose Menschenscheu", *Neue Zürcher Zeitung*, 18 mars 2000.
10. D'après Koerner, B., "First You Market the Disease... then you Push the Pills to Treat It", *The Guardian*, 30 juillet 2001.
11. Source : *Die Zeit*, 15 novembre 2001.
12. Finzen, A., *Warum werden unsere Kranken eigentlich wieder gesund ?*, Bonn, 2002.

VI. PSYCHOTROPES ET COURS DE RÉCRÉ

1. D'après Blech, J., et Thimm, K., "Kinder mit Knacks", *Der Spiegel* n° 29/2002.

2. Source : communiqué de presse de la Société allemande de psychiatrie, de psychothérapie et de neurologie, novembre 2002.

3. Brown, J., "The Next Wave of Psychotherapeutic Drugs…", *op. cit.*

4. D'après Swanson, J., "Attention-Deficit Hyperactivity Disorder and Hyperkinetic Disorder", *The Lancet* 351, 1998, p. 429-433.

5. Shrag, P., et Divoky, D., *The Myth of the Hyperactive Child*, New York, 1975.

6. *Ibid.*

7. Le supplément de la revue *Kinder- und Jugendarzt* (n° 1/2002) parut sous le titre "Sei ruhig – träum' nicht – hör endlich zu ! ("Sois sage – arrête de rêvasser – écoute ce qu'on te dit !").

8. Source : programme du colloque qui eut lieu à Stade le 19 octobre 2002.

9. Communiqué de presse de la Société allemande de psychiatrie, de psychothérapie et de neurologie, mars 2002 ; les mentions obligatoires signalaient que cette "info presse sur la psychiatrie et la psychothérapie" était publiée avec le soutien des entreprises AstraZeneca, Aventis Pharma Deutschland GmbH, Lilly, Novartis Pharma et Organon.

10. Smoller, J., "The Etiology and treatment of Childhood", *Journal of Polymorphous Perversity* 2, 1985, p. 3-7.

11. D'après Blech, J., et Thimm, K., "Kinder mit Knacks", *op. cit.*

12. Source : *Der Spiegel* n° 29/2002.

13. *Ibid.*

14. Stolberg, S., "Preschools Meds", *New York Times Magazine*, 17 novembre 2002.

15. Swanson, J., "Attention-Deficit Hyperactivity Disorder…", *op. cit.*

16. Barkley, R., "Hyperaktive Kinder", *Spektrum der Wissenschaft* n° 98/2000.

17. Cahier spécial de la revue *Kinderärztliche Praxis*, paru sous le titre "Unaufmerksam und hyperaktiv", 15 janvier 2001.

18. Volkow, N., "Therapeutic Doses of Oral Methylphenidate Significantly Increase Extracellular Dopamine in the Human Brain", *The Journal of Neuroscience* 21, 2001, RC121 (1-5).

19. Elia, J., *et al.*, "Treatment of Attention-Deficit-Hyperactivity Disorder", *New England Journal of Medicine* 340, 1999, p. 780-787.

20. Moll, G., "Early Methylphenidate Administration to Young Rats Causes a Persistent Reduction in the Density of Striatal Dopamine Transporters", *Journal of Child and Adolescent Psychopharmacology* 11, 2001, p. 15-24.

21. Hüther, G., "Kritische Anmerkungen zu den bei ADHD-Kindern beobachteten neurobiologischen Veränderungen und den vermuteten Wirkungen von Psychostimulanzien (RitalinR)", *Analytische Kinder- und Jugendlichen-Psychotherapie* 112, 2001, p. 471.

22. Brown, K., "The Medication Merry-Go-Round", *Science* 299, 2003, p. 1646-1649.

23. Fukuyama, F., "Life, but Not As We Know It", *New Scientist*, 20 avril 2002.

24. Source : *Geo* n° 3/2003.

VII. LE SYNDROME "FEMME"

1. D'après Schorter, E., *Moderne Leiden*, Reinbek bei Hamburg, 1994.

2. *Ibid.*

3. Kolip, P. (éd.), *Weiblichkeit ist keine Krankheit*, Weinheim et Munich, 2000.

4. Aronson, J., "When I Use a Word… Medicalisation", *British Medical Journal* 324, 2002, p. 904.

5. Source : *Women's Health*, sans date ni numéro d'édition, pris dans un cabinet de gynécologie de Hambourg en septembre 2002.

6. D'après Kolip, P. (éd.), *Weiblichkeit ist keine Krankheit, op. cit.*

7. D'après la contribution de Klaus Müller, "Die Entfernung der «nutzlosen» Gebärmutter", *in* Kolip, P. (éd.), *Weiblichkeit ist keine Krankheit, op. cit.*

8. Schäffer, J., et Word, A., "Hysterectomy – still a useful operation", *New England Journal of Medicine* 347, 2002, p. 1360-1362.

9. On compte en France 90 hystérectomies par an pour 100 000 femmes contre, en Allemagne, 357 hystérectomies par an pour 100 000 femmes ; données extraites de Kolip, *op. cit.*

10. Wagner, S., "Wenn die «rote Tante» zu Besuch ist", *Weltwoche*, 8 mars 2001.

11. Westphal, S., "Lifting the Curse", *New Scientist*, 16 mars 2002.

12. Tsao, A., "Freedom from the Menstrual Cycle ?", *Business Week Online*, 23 mai 2003.

13. *Ibid.*

14. Westphal, S., "Lifting the Curse", *op. cit.*

15. D'après Kolip, P. (éd.), *Weiblichkeit ist keine Krankheit*, *op. cit.*

16. Telle était la conclusion d'un sondage mené auprès de 8 440 femmes et présenté en mai 2002 au congrès de la Société allemande d'obstétrique, à Hambourg.

17. *Taz*, 9 novembre 2001.

18. Toutes les citations sont extraites d'Essig, R., "Geburt mit Wein und Dolch", *Die Zeit*, n° 52/2002, p. 43.

19. Zarembo, A., "The New Latin Labor", *Newsweek*, 26 mars 2001.

20. Johanson, R., "Has the Medicalisation of Childbirth Gone too Far ?", *British Medical Journal* 324, 2002, p. 892-895.

21. Husslein, P., "Frauen müssen wählen dürfen", *Medical Tribune*, n° 41/2002, p. 14.

22. Source : communiqué de presse de la Société allemande de psychiatrie, de psychothérapie et de neurologie, avril 2001.

23. Wagner, M., "Choosing Cesarean Section", *The Lancet* 356, 2000, p. 1677-1680.

24. *Ärzte Zeitung*, 22 mai 2002.

25. *Ibid.*

26. Hick, E.-J., et Franzki, H., "Indikationen zur Sectio caesarea – zur Frage der sog. Sectio auf Wunsch", *Der Gynäkologe* 2, 2002, p. 197-202.

27. Kolata, G., et Petersen, M., "Hormone Replacement Study. A Shock to the Medical System", *New York Times*, 10 juillet 2002.

28. Wanner, B., "Menopause : im Spannungsfeld der Paradigmen", *Frankfurter Allgemeine Zeitung*, 28 janvier 1998.

29. *Deutsches Ärzteblatt* 97, 2000, p. A-2512-2516.

30. Elschenbroich, D., "Wie es ist, ist es gut", *Frankfurter Allgemeine Zeitung*, 28 juin 1995.

31. Wanner, B., "Menopause...", *op. cit.*

32. Toutes les citations sont extraites de *Der Spiegel* n° 43/1991.

33. Source : *Neue Züricher Zeitung am Sonntag*, 28 avril 2002.

34. D'après Koch, K., "Auf der Suche nach Wahrheit", *Süddeutsche Zeitung*, 20 mars 2001.

35. D'après le *Süddeutsche Zeitung*, 17 septembre 2002.

36. Grady, D., *et al.*, "Cardiovascular Disease Outcomes During 6.8 Years of Hormone Therapy", *JAMA* 288, 2002, p. 49-57.

37. Writing Group for the Women's Health Initiative Investigators, "Risks and Benefits of Etrogen plus Progestin in Healthy Postmenopausal Women", *JAMA* 288, 2002, p. 321-333.

38. Hays, J., "Effects of Estrogen plus Progestin on Health-Related Quality of Life", *New England Journal of Medicine*, publication en ligne du 17 mars 2003, www.nejm.org.

39. D'après un communiqué de presse du 3 septembre 2002.

40. L'*Arznei-telegramm* propose une information indépendante et critique sur les médicaments et les thérapies, voir également : www.arznei-telegramm.de. La citation est extraite d'*Arztnei-telegramm* n° 8/2002.

VIII. LES NOUVELLES SOUFFRANCES DES VIEUX MESSIEURS

1. Communiqué de presse de Schuster Public Relations & Media Consulting, 30 octobre 2002.

2. Kirby, R. (éd.), *Männerheilkunde*, Berne, 2002.

3. Brochure *Fragen und Antworten* des entreprises Dr Kade/ Besins et Solvay Arzneimittel, sans date.

4. Communiqué de presse de l'entreprise Jenapharm, mars 2003.

5. "Report of National Institute on Aging Panel on Testosterone Replacement in Men", *The Journal of Clinical Endocrinology & Metabolism* 86 (10), 2001, p. 4611-4614.

6. Document consensuel "Der alternde Mann", *Reproduktionsmedizin* 16, 2000, p. 439-440.

7. Groopman, J., "Hormones for Men", *New Yorker* n° 31/2002.

8. Eckardstein, S. von, et Nieschlag, E., "Therapie mit Sexualhormonen beim alternden Mann", *Deutsches Ärzteblatt* 97, 2000, A-3175-3182.

9. Blech, J., "Neue Leiden alter Männer", *Der Spiegel* n° 16/2003.

10. Information presse de l'entreprise Jenapharm, décembre 2002.

11. Groopman, J., "Hormones for Men", *op. cit.*

12. "Report of National Institute…", *op. cit.*

13. Morales, A., et Lunenfeld, B., "Androgen Replacement Therapy in Aging Men with Secondary Hypogonadism", *The Aging Male* 4, 2001, p. 151-162.

14. Snyder, P., "Effect of Testosterone Treatment on Bone Mineral Density in Men over 65 Years of Age", *The Journal of Clinical Endocrinology & Metabolism* 84, 1999, p. 1966-1972.

15. Source : un guide de facturation publié par Dr Kade/Besins et Solvay Arzneimittel, sans date.

16. Stockinger, G., "Viagra für den ganzen Körper", *Der Spiegel* n° 29/2000.

17. Kolata, G., "Testosterone Use Prompts Concern among Doctors", *New York Times*, 22 août 2002.

18. Brown, A., et Comer-Calder, N., "The Unstoppable Power of the Male Menopause", *Observer*, 24 mars 2002.

19. Owens, I., "Sex Differences in Mortality Rate", *Science* 297, 2002, p. 2008-2009.

20. Moore, S., et Wilson, K., "Parasites as a Viability Cost of Sexual Selection in Natural Populations of Mammals", *Science* 297, 2002, p. 2015-2018.

21. Olshansky, J., "Die Mär vom Jungbrunnen", *Spektrum der Wissenschaft* n° 8/2002.

22. Source : *Der Spiegel* n° 21/2002.

1. Schultz, W., *et al.*, "Magnetic Resonance Imaging of Male and Female Genitals During Coitus and Female Sexual Arousal", *British Medical Journal* 319, 1999, p. 1516-1600.

2. Blech, J., "Die zweite sexuelle Revolution", *Der Spiegel* n° 7/2002.

3. Stiftung Deutsches Hygiene-Museum (éd.), *Sex – vom Wissen und Wünschen*, Ostfildern-Ruit, 2001.

4. Hart, G., et Wellings, K., "Sexual Behaviour and its Medicalisation : in Sickness and in Health", *British Medical Journal* 324, 2002, p. 896-900.

5. Moynihan, R., "The Making of Disease : Female Sexual Dysfunction", *British Medical Journal* 326, 2003, p. 45-47.

6. *Ibid.*

7. Laumann, E., *et al.*, "Sexual Dysfunction in the United States : Prevalence and Predictors", *JAMA* 281, 1999, p. 537-544.

8. Kaye, J., et Hershel, J., "Incidence of Erectile Dysfunction and Characteristics of Patients before and after the Introduction of Sildenafil in the United Kingdom : Cross Sectional Study with Comparison Patients", *British Medical Journal* 326, 2003, p. 424-425.

9. Hart, G., et Wellings, K., "Sexual Behaviour...", *op. cit.*

10. www.lilly-pharma.de, accès le 1er mars 2003.

11. www.der-gesunde-mann.de, accès le 1er mars 2003.

12. Chiffres cités d'après Pryo, J. P., "Editorial", *BJU International* 88, 2001, p. 3.

13. Petersen, M., "Advertizing – Pfizer, Facing Competition from Other Drug Makers, Looks for a Younger Market for Viagra", *New York Times*, 13 février 2002.

14. Moynihan, R., "Urologist Recommends Daily Viagra to Prevent Impotence", *British Medical Journal* 326, 2003, p. 9.

15. Leonore Tiefer a lancé une action contre la dysfonction sexuelle féminine, voir : www.fsd-alert.org.

1. Les pages Internet des entreprises sont www.gentest24.de et www.gen-untersuchung.com (Centre de diagnostic individuel) ; voir également Berth, H., "Entwicklung mit Risiken", *Deutsches Ärzteblatt* 40, 2002, p. A-2599-2603.

2. D'après *The Guardian,* 4 juin 2002.

3. Wiesing, U. (éd.), *Ethik in der Medizin,* Stuttgart, 2000.

4. Une vue d'ensemble régulièrement actualisée des tests génétiques existants est disponible sur Internet : www.geneclinics.org.

5. Feuerstein, G., et Kollek, R., "Vom genetischen Wissen zum sozialen Risiko : Gendiagnostik als Instrument der Biopolitik", in *Das Parlament* 27, 2001 ; www.das-parlament.de/2001/27/Beilage/2001_27_005_5834.html.

6. Galton, D., et Ferns, G., "Genetic Markers to Predict Polygenic Disease : a New Problem for Social Genetics", *QJ Med* 92, 2002, p. 223-232.

7. Burke, W., "Genetic Testing", *New England Journal of Medicine* 347, 2002, p. 1867-1875.

8. Melzer, D., et Zimmern, R., "Genetics and Medicalisation", *British Medical Journal* 324, 2002, p. 863-864.

9. Temple, L., *et al.,* "Defining Diseases in the Genomics Era", *Science* 293, 2001, p. 807-808.

10. Melzer, D., et Zimmern, R., "Genetics and Medicalisation", *op. cit.*

11. Galton, D., et Ferns, G., "Genetic Markers...", *op. cit.*

12. Burke, W., "Genetic Testing", *op. cit.*

13. Galton, D., et Ferns, G., "Genetic Markers...", *op. cit.*

14. Josefson, D., "Doctors Successfully Screen Embryos for Gene Mutation Linked to Early Onset Alzheimer's", *British Medical Journal* 324, 2002, p. 564.

15. *Der Spiegel* n° 41/2000.

1. Payer, L., *Disease-Mongers, op. cit.*

2. Popert, U., "Ouvertüre oder Abgesang ?", *Deutsches Ärzteblatt* 6, 2003, p. A-302.

3. Courrier des lecteurs, *MMW-Fortschritte der Medizin* 46, 2002, p. 18.

4. Sen, A., "Health : Perception versus Observation", *British Medical Journal* 324, 2002, p. 860-861.

5. Actualisation : 2002, voir également www.who.int/medicines.

6. Böger, R., "Wie wird die chronische Herzinsuffizienz heute tatsächlich behandelt ?", *Deutsche Medizinische Wochenschrift* 127, 2002, p. 1764-1768.

7. *MMW-Fortschritte der Medizin*, n° 25/2002.

8. Gerharz, E., "Größenwahn ? Die psychosozialen Konsequenzen von Kleinwuchs", *Deutsches Ärzteblatt* 14, 2003, p. A-925-A-928.

9. *The Economist*, 25 mai 2002.

10. Harth, W., "Lifestyle-Medikamente und körperdysphorme Störungen", *Deutsches Ärzteblatt* 3, 2003, p. A-128-A-131.

11. Le Fanu, J., *The Rise and Fall of Modern Medicine*, New York, 2002.

12. Blech, J., "Arme sterben früher", *Die Zeit* n° 43/1997.

13. Kaiser, G., *Die Zukunft der Medizin*, Francfort-sur-le-Main, 1996.

14. Savulescu, J., et Kerin, J., "The «Genetisation» of Disease Stigma", *The Lancet* 354, 1999, p. 16.

15. Blech, J., "Das Ende", *Die Zeit* n° 30/1997.

16. Illich, I., *Die Nemesis der Medizin*, quatrième édition revue et corrigée, Munich, 1995.

17. Moynihan, R., et Smith, R., "Too Much Medicine ?", *op. cit.*

18. Gilbert, D., "Lifestyle medicines", *op. cit.*

19. Nuffield Council on Bioethics, *Genetics and Human Behaviour : the Ethical Context*, Londres, 2002 ; le rapport est disponible sur Internet : www.nuffieldbioethics.org.

20. *Der Spiegel* n° 19/2002.

21. Source : courrier des lecteurs du *Deutsches Ärzteblatt* 16, p. A-1081.

22. Raspe, H., "Ethische Implikation der evidenz-basierten Medizin", *Deutsche Medizinische Wochenschrift* 127, 2002, p. 1769-1773.

23. D'après Bergdolt, K., *Leib und Seele*, Munich, 1999.

24. Lown, B., *Die Verlorene Kunst des Heilens*, op. cit.

25. Skrabanek, P., et McCormick, J., *Torheiten und Trugschlüsse in der Medizin*, op. cit.

B**A**BEL

Extrait du catalogue

842. LAURENT GAUDÉ
Eldorado

843. ALAA EL ASWANY
L'Immeuble Yacoubian

844. BAHIYYIH NAKHJAVANI
Les Cinq Rêves du scribe

845. FAROUK MARDAM-BEY
Etre arabe

846. NATHANIEL HAWTHORNE
Contes et récits

847. WILLIAM SHAKESPEARE
Sonnets

848. AKI SHIMAZAKI
Tsubame

849. SELMA LAGERLÖF
Le Livre de Noël

850. CHI LI
Pour qui te prends-tu ?

851. ANNA ENQUIST
La Blessure

852. AKIRA YOSHIMURA
La Guerre des jours lointains

853. GAMAL GHITANY
La Mystérieuse Affaire de l'impasse Zaafarâni

854. PAUL BELAICHE-DANINOS
Les Soixante-Seize Jours de Marie-Antoinette
à la Conciergerie, t. II

855. RÉGINE CRESPIN
A la scène, à la ville

856. PHILIPPE BEAUSSANT
Mangez baroque et restez mince

857. ALICE FERNEY
Les Autres

858. FRANÇOIS DUPEYRON
Le Grand Soir

859. JEAN-LUC OUTERS
Le Bureau de l'heure

860. YOKO OGAWA
La Formule préférée du professeur

861. IMRE KERTÉSZ
Un autre

862. OSCAR WILDE
Quatre comédies

863. HUBERT NYSSEN
Quand tu seras à Proust la guerre sera finie

864. NIMROD
Les Jambes d'Alice

865. JAVIER CERCAS
A la vitesse de la lumière

866. TIM PARKS
Double vie

867. FRANZ KAFKA
Récits posthumes et fragments

868. LEENA LANDER
La Maison des papillons noirs

869. CÉSAR AIRA
La Guerre des gymnases

870. PAUL AUSTER
Disparitions

871. RUSSELL BANKS
Hamilton Stark

872. BRIGITTE SMADJA
Le jaune est sa couleur

873. V. KHOURY-GHATA
La Maison aux orties

874. CLAUDIE GALLAY
Dans l'or du temps

875. FRÉDÉRIC MISTRAL
Mes origines

876. YAAKOV SHABTAÏ
Et en fin de compte

877. ORLY CASTEL-BLOOM
Dolly City

878. KLAUS MANN
Le Tournant

879. DON DELILLO
Les Noms

880. YU HUA
Vivre !

881. NAGUIB MAHFOUZ
Son Excellence

882. PAUL NIZON
La Fourrure de la Truite

883. JAMES LEO HERLIHY
Macadam Cowboy

884. SAMIR KASSIR
Considérations sur le malheur arabe

COÉDITION ACTES SUD – LEMÉAC

Ouvrage réalisé
par l'atelier graphique Actes Sud.
Reproduit et achevé d'imprimer
en janvier 2012
par Normandie Roto Impression s.a.s.
61250 Lonrai
sur papier fabriqué à partir de bois provenant
de forêts gérées durablement (www.fsc.org)
pour le compte des éditions
Actes Sud
Le Méjan
Place Nina-Berberova
13200 Arles.

Dépôt légal
1re édition : avril 2008.
N° impr. 120070
(Imprimé en France)